法律との五十年

牧野英一

東京
有斐閣
昭和三十年
(1955)

はしがき

一、昭和二十九年八月から十一月にかけて、ＮＨＫの需のままに、夕方の講演を試みました。それは、十回の予定ではじめましたのが、中ほどで、十二回のものにしようかと考えなおすことになり、結局、十一回になりました。それに少しばかりの補訂を施したものとして、この十二章ができました。

一、すでに五十年を超えることになりました学究生活をかえりみつつ、常に何ものかの希望と期待とを有ちつづけ得たありがたい幸福を想い出し、自分だけではできるだけの努力をしたつもりのが、果してどれだけの効果を収め得たことになるか、と反省してみたわけであります。

一、切に内外の諸先生、また常にわたくしを支持し、はげましてくれられた先輩と友人とに、更に、わたくしの知らないところに思いかけぬ同情と理解とを与えてくれられた世の人たちに、そうして、最後に、妻と、子たちと、孫たちと、その孫の中のおさないのが、よくは解らないながらにラジオを聴いてくれたのに感謝しつつ。

昭和三十年二月四日

茅ケ崎の海村で　著者

目次

第一話　民法実施の頃

法律の研究に没頭して来ました五十年間のおはなしをいたします。それは、同時に、二十世紀前半における法律の発達乃至法律思想の変遷について、わたくしの体験したところを述べることになります。

わたくしは、明治三十六年の一九〇三年に東京帝国大学を卒業しました。そのおなじ年に、司法部に奉職しつつ、母校の講師として教壇に立ちましたので、それから数えて、本年は五十年を超えること更に一年ということになります。その一九〇三年というのは、明治三十七八年の戦役すなわち日露戦争のはじまった年の前年に当るのであります。

わたくしは、それから四年前の明治三十二年の一八九九年に東京帝国大学法科大学に入学しました。今日の東京大学の法学部に当ります。それは実に内地雑居のはじまった年であるのであります。その前年に、民法、当時は、われわれは新民法と申しましたが、それが実施せられました。その翌年の一九〇〇年にドイツ民法が実施せられたのであることをここで一言いたしておきます。

内地雑居などという言葉は、現代の青年たちには、甚だ耳遠いものであり、むしろ異様にひびくものであろうかとおもいます。しかし、それは、その当時における重大な問題であったのであります。内地雑居というのは、外国人が、わが国のどこの土地にでも住居を構え、業務を営むことが許される、ということを意味するのであります。それまでは、東京にも、横浜にも、神戸にも、居留地というものがありまして、外国人はその居留地にのみ居住していたわけです。それに対して、明治三十二年七月十七日から、外国人が、わが国の内地のどこにでも入り込んで来ることができるようになったのであります。

その内地雑居ということは、当時のいわゆる新条約が実施せられるに至ったことを意味するのであります。その新条約というのは、それまで行われていた安政の条約に代るものであったのであります。安政のその屈辱条約が新たに対等の条約になったのであります。

安政の条約は、関税についても、法権についても、わが国に自主権を認めないものであったのであります。関税というのは、貿易品に課する輸入税のことであります。また、法権というのは、外国人に対するわが国の裁判権のことであります。わが国は、自由に輸入税を定め、わが裁判官の手で外国人を裁判することができなかったのであります。それで、明治になりましてからは、税権の回復、法権の回復ということが、国策の最も重要なものの一つとせられたのでありまして、条約改正ということには、国民的な政策として、上下を挙げての努力がつづけられたのであります。

そこで、わたくしとしては、法律のおはなしを申し上げるについて、ここに、その法権の回復の方面についておはなしをいたすことになりますが、まず、外国人が、かように、わが国においてわが裁判権に服従しないことを治外法権と申します。すなわち、わが法権の外に在るというのであります。そこで、法権の回復と申しますのは、その治外法権の撤廃ということになるのでありますが、それについては、わが国において法典を整備することが必要であったのであります。明治になりましても、刑事訴訟の手続において拷問が法律上許されていたくらいでありますから、外国人から見れば、わが国の裁判権に服従しようという気にはなれなかったわけであります。明治十九年に、時の外務卿井上馨さんの定められた条約改正に関する箇条書というのの中にも、『第四条、我が国は泰西主義に則り、司法上の組織及び成法（刑法、治罪法、民法、商法、訴訟法等）を確定する』としてありました。その理由として、『我国今日の制度は多く維新以来造出せられたるものにして其齢尚稺く、未だ以て直に慣習法となるに足るの力を有せず、又、旧幕時代より伝来したるものは、大抵今日文明人民の所要に適せざればなり。左れば我法典の泰西主義に適合したるものは只明治十三年に於て公布したる刑法治罪法の二法典あるのみなるが、この二法典も早已に多少の不完全を見はし、現に法律取調委員会に於てボアソナード氏が修正中なり』というように見えているのであります。

そこで、右のボアソナード先生について一言いたしますが、この方は、わが国のために法典を起草する任務を受けて来朝せられたフランスの学者であります。明治六年に来られましたが、明治八年に、或偶然な機会において、わが国の裁判所が現に拷問を行っているという事実を発見せられて大におどろかれ、直ちに、当局に向って、拷問廃止の進言をせられたのであります。ボアソナード先生のその進言に依って、拷問の制度はそれから間もなく廃止せられました。これはボアソナード先生の功績の中にも特にひかっているところのものであります。それから、ボアソナード先生は、明治十三年の刑法すなわち旧刑法の起草をせられ、それが刑法という法典となりました。明治十五年から実施せられましたので、明治十五年の刑法とも申しますが、これが、わが国における『泰西主義』の法律のはじまりであります。

いわゆる泰西主義の法律としてその次にできました重大な法律は、明治二十二年の『大日本帝国憲法』すなわち旧憲法であります。これは、伊藤博文さんが主となって起草せられたのでありますが、それに参加して大にはたらかれた人たちの一人たる金子堅太郎さんが、この泰西主義のことをウェスタン・プリンシプルといってわれわれに教えられたものであります。そこで、憲法に依って立憲政体が確立いたしましたのにつづいて、今度は、法典中の法典ともいうべき民法の編纂ということが問題になったのであります。

民法については、ボアソナード先生の起草にかかる『民法』というのがありまして、これが、明治二十三年に、帝国議会開設に先だって、一旦法律として公布せられていたのであります。これは、その後旧民法と称せられることになりましたものであります。明治二十六年から実施せられることになって居りましたが、一派の人々の間から、出来がよろしくないという批評があらわれ、そのために法典断行延期の激しい論争がありました末、明治二十五年の帝国議会において実施延期ということになりました。そうして、更に、新たに、民法を編纂することになりまして、そのために、明治二十六年に法典調査会というのができました。総裁が伊藤博文さん。その下で、民法の起草委員として三人の先生がたが仕事をせられました。それは、穂積陳重先生と、富井政章先生と、梅謙次郎先生とであります。わたくしは、この三人の先生に就いて法律学を修めることができましたので、それを大きな幸福であったと常に考えて居る次第であります。

そこで、条約改正の方へはなしをもどしましょう。条約改正については、内外にわたって政治上の大きな困難がつづいたのでありましたが、結局、イギリスが諸国に先んじて新条約を締結することに同意いたし、それが明治二十七年七月十六日にロンドンで調印せられました。すなわち対等の条約の第一のものでありました。それは日清戦争の直前のことでありました。さて、この条約に依りますと、この新条約は五年間実施しない、そうして、五年後において、日本政府から実施するように通告があってから一年たって実施にはいる、というのでありました。その五年というのが明治三十二年七月でありました。それで、その実施のための法典の整備、特に民法が、それから一年前に実施せられていなければならないわけになったのであります。ボアソナード先生の旧民法を単に修正するというのでなく、全く新らしい民法を作るというのが法典調査会の任務とせられたのでありまして、この民法編纂ということは、容易ならぬ困難な仕事であったのであります。それを、右の新条約の実施に間に合わせようというのでありますから、起草委員たる三人の先生の骨折の次第には、今日から考えて想像を超えるものがあったとおもいます。兎に角、その骨折に依って、明治二十九年に民法五編中の前三編ができ、つづいて明治三十一年に後二編ができ、それが、新条約成立の日から四年目の明治三十一年七月十六日から実施せられることになりました。そこで、わが政府は直ちにこれを諸国に通告したのであります。そうして、それから一年しての明治三十二年七月十七日から、内地雑居、法権の回復ということになったのであります。

ドイツでは、その翌年の一九〇〇年に、その新民法が実施せられました。これはすでに一言いたしました。これは、二十世紀劈頭の民法として、人類の法律文化における重大な一里塚とせられているところでありますが、わが民法は、それとほぼ時を同じうしているわけであります。すなわち、ドイツ民法に依って世界における二十世紀の法律文化が発足したということになるのでありますが、わが国では、民法に依って、われわれの法律生活が、いわゆる泰西主義のものに一新せられることとなったわけであります。これに由って、われわれは、対等の条約に依りつつ、世界をいわば濶歩し得るようになったのであります。わが国の自主権が、ここにはじめて完うせられることになったわけでありましたので、当年の一青年たるわたくしは、甚しき興奮を以って法律の研究をはじめ、特にその新民法に興味を有ったわけであります。ドイツでは、先頃、ドイツ民法の実施五十年を記念する盛んな式典が学者の手に依って執り行われました。わたくしも、亦、現下の国際情勢の下におけるわが国の地位を反省いたしますのにつれて、一層、民法の五十年、対等条約の五十年、それがわたくしの法律学修業をはじめました頃からの五十年であるということを、切に想いかえす次第であります。

ここに、なお一つ付け加えたいとおもいますのは、明治三十年の貨幣法であります。この貨幣法に依って金貨本位の制度が確立したのでありました。さきに税権の回復ということを一言いたしましたが、その回復が完成しますのには、なお若干年を要しましたわけで、それは明治四十四年に至ってのことでありました。しかし、右の明治三十年の貨幣法に依って、わが国の国際経済における地位が全く新たにせられたことになるのでありまして、これは、民法の実施と相結合して考えねばならぬところであります。この点についても、われわれは、わが国の現状をそれに比較して考えねばならぬことと存ずるのであります。

その貨幣法に依る新らしい経済活動のことを、法律的に、民法に就いて言い現わしますときは、それは所有権及び契約の自由ということになるのであります。所有権の不可侵性ということは、すでに、明治憲法の第二十七条に規定せられていたところであります。それを承けて、民法は、所有権の作用に関する細かい規定を設けましたし、更に、それが契約の自由に依って、いかに甲から乙へと移転し循環してゆくかの関係を規定したわけであります。

所有権及び契約の自由の原則は、下世話に砕けて申しますれば、盗む勿れ、約束を守れ、ということになるのであります。これを、東京で、南の方三田台では、福沢先生が『独立自尊』として説かれたわけになりますし、北において東京大学では、中村敬宇先生が『天は自ら助くる者を助く』として教えられたことになります。そこに、近代文化の自由主義が明かにせられまして、まことに明朗な法律生活の境地が開かれたことになります。メーンというイギリスの学者が、これを、『身分から契約へ』の変遷とするのであります。封建時代の身分本位の法律生活、一部の人が、さむらいとして、武士として、貴族として、すなわちその身分に依って、特権を主張する時代から、四民が、士農工商の区別なく、平等に、対等の自由な契約に依って生活を経営する時代になった、というのであります。かくして、法律と道徳との区別ということが論ぜられるようになりました。それまでは、道徳という名義で、封建的な無理な事柄が行われましたのが、新たに、法律に依る自由主義の世の中ということになったのであります。この新らしい法律文化の下に、世界的には十九世紀の進歩がもたらされたことになるのでありまして、わが国としては、それの流れに従って二十世紀の発展ができたことになるのであります。

しかし、その民法が実施せられますと、間もなく、民法において予定せられるかような原則に対して、一種の動きが見えはじめました。わたくしから申しますと、そこへ一種のひびがいるようになりました。

その一つとして、戸主権に関する明治三十四年六月二十日の大審院判決というのを考えましょう。実に、民法実施後三年にしての出来事であります。

民法の旧親族法には戸主権ということがあります。そうして、旧第七百四十九条には、『家族は戸主の意に反して其居所を定むることを得ず』とあったのであります。この規定は、その正文上、絶対的なもの、無制限無条件なものになって居ります。しかし、大審院は次のように言い渡しました。『民法第七百四十九条に定めたる戸主の権利は、契約又は親族会の決議を以て制限すべきものに非ざること勿論なるも、是れ、固と、一家の整理上必要なりとし、戸主に付与したる権利なるを以て、其の之を行使すべき場合も、亦、其の立法趣旨に適合する範囲内に在りと謂はざるべからず。……戸主が何等の理由をも持たず、随意に居所に関する命令を下し、家族をして其居に安んぜざらしめ、其の命に従はざるを口実にして離籍を為すが如きは……本条の規定の許す所なりと謂ふべからず』と。これは、新憲法の下に昭和二十二年にできました民法第一条第三項に『権利の濫用は之を許さず』とあるのの先駆者となっているわけであります。この旧民法の規定は、非常時にはいって、すでに、昭和十六年法律第二十一号で、改正になりました。家族が、戸主の居所指定に関する催促すなわち催告に対し、『正当の理由なくして応ぜざるとき』に限り『戸主は裁判所の許可を得て之を離籍することを得』るものとせられることになったのでありました。今日では、戸主権の制度そのものが廃止せられることになりましたので、戸主権の濫用という問題はないことになりましたが、別に、広く、権利一般について、権利の濫用の原則ということが、右の判例以降、漸次、いろいろの場合に運用せられることになりまして、終に、新たに、新憲法の下に、民法において右のような規定が設けられることになった次第であります。

それから十年たって、明治四十四年十二月二十三日の大審院の判決があります。これは、隣同志の共助義務ということを論じたものであります。判決をそのまま挙げることにいたしましょう。『土地の所有者は、其の権利の安全を確保するに必要なる限りは、土地所有権の効力として、隣地の所有者に対し、適当なる共助を請求することを得るを当然の法則なりとす。……本件の当事者は何れも相隣地主にして、被上告人の請求は、その所有土地の実在坪数は土地台帳記載の坪数より多きが故に、土地台帳の記載更正を求むるため、土地台帳所管庁に於ける取扱上の慣例に則り、右地坪数の更正に関し上告人の承認を求むるに在るを以て、斯る請求は、前示の法則に照し、まことに正当にして、上告人は之に応ずべき義務を負うものとす云云』。かような共助関係のことにつき、新たに、わが民法第一条第二項は、信義誠実の原則ということを規定することになりました。『権利の行使及び義務の履行は信義に従い誠実に之を為すことを要す』るというのがそれであります。伝統的な所有権の絶対性という考え方では説くことのできないものといい得るところでありますが、判例では、かく、すでに、明治の末年において、一種のものを見受けるわけになるのであります。そこには、法律の正条を示すことなく、単に、『当然の法則』としてあるのであります。

信義則の適用は、更に、刑事にも拡がるのであります。刑法第二百十七条に、『老幼、不具又は疾病の為め扶助を要す可き者を遺棄したる者は一年以下の懲役に処す』るものとしてあるのの適用について、一種の判例があります。すなわち、明治四十五年七月十六日の判決に次のようにあります。『(扶助を要する病者が) 被告等の住所たる某寺境内千仏堂に寝臥し居たるを、よしや被告等に法令若は契約に基づく扶助の義務なしとするも、之を扶助せずして遺棄するが如きは、善良の風俗を害すること甚しきものにして、刑法第二百十七条に該当す』るというのであります。さきの隣同志の共助義務については『当然の法則』とせられましたが、ここでは、別に、『善良の風俗』という言葉が用いられて居ります。それが、その後、大正期にはいりまして、大審院は、信義誠実の原則ということを言い立てるようになったのであります。

明治の末期には、かく、すでに、民法の伝統的な考え方に対する一種の動きが見えるのでありました。その後のその動きをたずねたいとおもいますのについて、ここに、戊申詔書から一節を引用したいとおもいます。

戊申詔書は明治四十一年のことであります。日露戦役を承けての国家的繁栄のかげに、経済上の恐慌が起り、社会問題が暗さを増すのでありました。『戦後日尚浅く、庶政益々更張を要す。宜く上下心を一にし、忠実業に服し、勤倹産を治め、惟れ信、惟れ義、醇厚俗を成し、華を去り実に就き、荒怠相誡め、自彊息まさるべし』。わたくしは、この詔書に見えている信義という語が、わたくしが民法の動きを指導しているものと信じまする信義則ということを想わしめるものである、とおもうのであります。

第二話　古い六法と新らしい六法

六法ということがあります。憲法、民法、商法、民事訴訟法、刑法、刑事訴訟法であります。これをわたくしは古い六法と名づけます。これに対して、新らしい六法とでもいい得るようなことが問題になりつつあるのであります。すなわち、最近五十年に、法律における重点の変遷ということが、年を追うて問題になってまいりましたので、それが、今夕のおはなしの題目になるのであります。

六法というのはわが国特有の言葉であるかとおもいます。フランスには五法典ということがありまして、右の六法のうち、憲法を除外して考えるのであります。今日では、一九四六年の第四共和国新憲法ができまして、立派な法典になっているのでありますが、従来は、憲法は法典らしいものになっていなかったのであります。それで五法典ということになって居りまして、その新憲法成立後の今日でも、従来のとおり五法典といいならわされて居ります。その諸法典は、実に、百五十年前に、ナポレオンが作ったものであります。ナポレオンは、別に法律家というわけの人ではなかったのでありますが、法律学者を率いて、十九世紀のはじめに、その大きな立法事業を仕遂げたのであります。ナポレオンは、その諸法典、特にその民法を大に誇りとしましたので、自分の死後、外のいろいろの仕事は忘れられても、民法だけは永久に残るであろうと信じていた、ということが伝えられて居るのであります。ナポレオンは、実に、軍人としてよりも、また政治家としてよりも、その民法の制定者として、今日も、なお、世界的にその文化的功績がたたえられて居るのであります。

それで、十九世紀におきましては、フランスの諸法典特に民法は、世界的に模範とせられたのでありまして、わが国も、亦、民法の編纂のためにフランスから学者を招聘したのでありました。前回に申し上げたボアソナード先生がそれであります。明治のはじめに箕作麟祥先生がフランスの五法を翻訳せられ、それに、なお、憲法に属する法令を一括して憲法と名づけられました。『六法』という名称は、箕作先生がその著『仏蘭西法律書』の例言に用いられているところなのであります。

さて、わが国で申しますれば、明治三十一年に民法が実施せられる前に、すでに明治二十三年に憲法が実施せられたのであります。これは、明治二十二年の紀元節に発布せられたものであります。そこには立憲政体が規定せられ、且つ人権尊重の原則が明かにせられているのであります。

明治憲法すなわち『大日本帝国憲法』における人権尊重の原則を更に遡って考えますと、それは、一七八九年のフランスの人権宣言ということになります。フランス人は、その年に、いわゆる大革命を起して中世以来の王権制度を廃止するに至ったのでありますが、その年に人権宣言十七条を公布したのであります。その中に、わたくしとしては、重要な原則として三種のものが考えられます。その一は自由平等の原則であり、その二は所有権不可侵の原則であり、その三は罪刑法定主義であります。わが明治憲法は、これを承けて、その第十九条に、任官の平等権として第一のものを規定し、第二十七条に、日本臣民はその所有権を侵されることがないものとせられ、第二十三条に、日本臣民は法律に依るのでなければ逮捕監禁審問処罰を受けることがないものとせられて居ります。

民法が、所有権と契約の自由とを原則としていますのは、右の三種のものの適用になるわけでありますす。これは、近代文化における自我の眼ざめ、人格の自覚ということに基づくものであるわけであります。これに依って、一八〇四年に、右に申しました如く、ナポレオンがフランス民法を制定しました。これが十九世紀の模範法典とせられました。フランス民法はまたナポレオン法典とも称せられるものでありますが、それまでのいろいろの法典に比べますと、いかにも理路整然として簡明にできているという点が、当時、世をおどろかしたものであります。それに、その文章が、また、磨きのかかった、きれいな、立派なものとせられまして、あの有名な小説家のスタンダールが、文章としてこれを日夕愛読したということが言い伝えられて居ります。

さて、フランス五法中の他の四法は、民法を中心としてできているということができましょう。商法は、商人なり商行為なりについての法律として、民法につづき、一層、所有権及び契約の自由の原則を徹底せしめたものであるということになりましょうし、民事訴訟法は、民法商法に依る権利の主張のためにできているものということになります。刑法は、民法を徹底したものとか、民法のためにできているものとかいうわけのものではありませんが、民法に認められている各種の権利自由は、刑法上の制裁に依る保護を伴なうことに依って、完きを得るものともいうことができましょう。それに、刑法に依るのでなければ罰せられないということになりましたので、単に不埒千万というようなことだけで逮捕せられることはないことになりました。それで、世の人は、自由に、安心して、活動ができ、取引が営まれる、ということになったといえましょう。ナポレオンは、その五法の第一に民法をこしらえましたが、その最後に至って刑法をこしらえました。刑法は一八一〇年にできました。これが民法と相並んで、十九世紀の模範法典となったのであります。民法が法典中の法典とせられまして、世上では、その民法を特にナポレオン法典と呼ぶのであります。

十九世紀における法典としましては、その劈頭におけるナポレオン法典と共に、その末尾にできた一八九六年のドイツ民法を挙げることになります。ドイツは、一八七一年に至って、帝国として統一せられましたので、それまでは、プロシャはプロシャで、バヴァリヤはバヴァリヤで、それぞれ、全く別の国であったのであります。しかし、民族統一の声は、ナポレオンがドイツから敗退する頃にすでに揚がっていましたので、法律の方面から申しますれば、民族統一のための民法の制定ということが、ナポレオンがその民法を制定したのを機縁として、問題とせられていたのであります。しかし、民族統一のことは、政治的にも、法律的にも、容易に機が熟しませんでしたが、普仏戦役に因って、ドイツ帝国が成立しましたのち、その帝国の成立に因るドイツ民族の統一を完うするには、どうしても民法の完成を待たねばならぬということになりまして、二十年あまりかかって、一八九六年にそれができ、それが一九〇〇年から実施せられたのであります。わが国の民法の起草については、その民法の草案が特に参照せられたのでありました。ドイツ民法とわが民法前三編とがおなじ年に成立して居ります。そうして、実施は、わが国は、ドイツ民法に比して二年前にいたしました。ついでに申しておきますが、一九〇七年になってスイス民法の成立がありました。これは、ドイツ民法と共に、二十世紀のはじめにおける民法としての特に整頓した様式を示しているものであります。

フランス民法は、今日においては、すでに百五十年を経て居りますので、幾多の修正といろいろの判例とに依って按排せられて居ります。殊に、この百五十年間の判例の変遷がわれわれにとって重要なものになって居るのであります。それで、フランス民法を、その正文に就いて一読して、それがフランスにおける現行法であるとするわけにはまいりません。しかし、少なくとも、十九世紀の初頭におけるフランス民法として、その組立てを考えて見ますと、それは、その当時における思想としての個人主義及び自由主義の上に立って、所有権及び契約の自由の原則の上に築かれているものであります。これは、フランス革命前の身分本位階級本位の生活から解放せられた自由にして平等な大衆のための法律であったわけであります。これに対して、ドイツ民法は、所有権の制限を明かにし、契約が信義則に依って支配せられることを明かにしている点に特色があるものとせられるのであります。それで、フランス民法が資本主義のものであるとせられますのに対し、ドイツ民法は、社会主義のものというのには遠いにしても、よほど社会的なものになって居ります。フランス民法は所有権の法律とせられるのでありますが、ドイツ民法では人間のためということが大に考えられているのであります。ナポレオンは、疑わしい場合には所有権に依るということを原則としたといわれるのでありまして、これは、刑事において、疑わしきは軽きに従うというのをいわばもじった言葉になって居りますが、ドイツ民法では、契約の上に正義が在るとせられている、ということになって居ります。

固より、フランス民法でも、公の秩序善良の風俗とか、また、信義誠実の原則とかいうことが知られていなかったわけではありません。この原則は、実は、古くローマ法から来て居るものであります。ローマ法では、家長権が非常に強いのでありましたし、所有権は絶対的な支配権であるとせられていましたし、また、契約違反に対する制裁は厳重なものであったのでありますが、しかし、そのローマ法は、紀元前五世紀の十二表法からはじまり、紀元後六世紀になってユスティニャーヌス帝の法典が成立するに至るまでに、千年を超えての発達を重ねたものでありまして、その古い法律の厳格性が漸次に緩和せられつつ、そのローマ法それ自身が、フランスでも、ドイツでも、いわばそのまま行われるに至ったのであります。フランスでは、ナポレオン法典がそれに代ったのでありますが、ドイツでは、ドイツ民法が実施せられるに至るまで、すなわち、一九〇〇年の前年まで、それがドイツの民法であったのであります。それには、公の秩序善良の風俗とか信義誠実の原則とかいう原則、これはちょっと見ると、法律的なものとはおもわれない漠然たる原則でありますが、それが、すべてを適当に按排したのであります。ローマ法は数学の如く論理的にできているとせられるのでありますが、そうでありつつも、それが、漸次、フランスに採り容れられ、ドイツに行われるようになりましたのは、公の秩序善良の風俗とか信義誠実とかいう原則がよろしく調整按排をしたのに因るのであります。ローマ法は書かれた道理であるとして、中世のヨーロッパでは、フランスやドイツやの民衆生活にはいり込んだのでありました。それは、われわれが、従来、例えば、孔孟の教えといえば、それだけで権威あるものと考えたのとおなじようなわけであったのであります。ドイツでは、ローマ法が十五六世紀の頃に慣習法として採り容れられたということになって居ります。われわれがいわゆる泰西主義の法律を制定したという以上に、ドイツは、ローマ法を、そのままドイツ法としたわけであります。ドイツの民法論というのは、いわばローマ法論に外ならなかったといい得るくらいなのであります。そこに、公序良俗とか信義誠実とかの原則が発達したのでありました。

ナポレオンは、そのローマ法を背景として民法を作ったのであります。しかし、当時の思想が、中世のスコラ哲学煩瑣哲学に対する近代のいわゆる合理主義でありまして、経済学でいえば、アダム・スミスの経済人という考え方が基本視せられましたように、法律の上では、個人主義自由主義が重要視せられたことになります。すなわち、新らしい民法では、すべてが、所有権及び契約の自由の原則に蔽われたということになりましょう。それは、十九世紀におけるフランス学者の著述に依ってうかがわれるのであります。

しかし、資本主義が発達しまして、漸次、社会問題を引き起すことになりましてからは、フランス民法、少なくともフランス民法に対する理解として十九世紀のフランス学者が説いたようなのは、もはや許されないことになるはずです。そこで、十九世紀の末からは、フランスにおける新らしい法律学の勃興があり、判例も漸次趣を変えることになりました。そこで、学界においては『法律の社会化』ということが唱道せられることになりました。

十九世紀の末に迫ってドイツ民法が成立しましたときには、思想のかような変動が考慮せられていましたので、公の秩序善良の風俗、尤もドイツ民法ではそれを簡単にして善良の風俗というだけになって居りますが、その外に信義誠実の原則のことが規定してあります。そうして、それを学者が重要視して解釈を施しているのであります。しかし、ドイツ民法では、信義誠実の原則が、いわば断片的に、あちらこちらに規定せられているに過ぎません。ところが、スイス民法に到りましては、これが、概括的に、いわば大原則として、民法の劈頭に規定せられて居ります。わが民法の新第一条第二項第三項の規定する信義則及び権利の濫用のことは、スイス民法第二条に倣ったものであります。

そこで、一九一四年に第一次世界戦争がはじまりました。一九一八年に休戦になり、一九一九年にヴェルサイユ条約が成立しました。このヴェルサイユ条約の中に、『労働は商品に非ず』ということが、規定せられることになったのであります。平和条約にかような規定が設けられるということが、すでに、いわば破天荒のことでありましたし、それが、更に、世界的にかような新原則を確立したということが、また、大々的な事柄であったのであります。

第一次世界戦争後、法律の模様は全く一変することになったということができましょう。それについては、ワイマール憲法を一七八九年のフランスの人権宣言に比較して考えて見ることにいたしたいとおもいます。ワイマール憲法は、ドイツ帝国崩解の後を承けて、新ドイツ共和国のために一九一九年にできたものであります。ヴェルサイユ条約につづいてできたものであります。わたくしとしてここに三点のものを挙げたいとおもいます。

その一は『人たるに値いする生活』の原則ということであります。国家は、国民の各自に対し、人たるに値いする生活を保障せねばならぬということであります。これは、人権宣言の自由平等の原則に対するものであります。この言葉は、わが国では労働基準法の第一条に採り容れられて居ります。新憲法では、第二十五条第一項に『健康で文化的な最低限度の生活』の原則となって居ります。

その二は『所有権は義務を伴う』という原則であります。これは、人権宣言が所有権をもって侵すべからざる神聖の権利としたのに対するものであります。わが新憲法では、第二十九条第二項に、『財産権の内容は公共の福祉に適合するやうに、法律でこれを定める』とあるのがそれに対応するわけであります。

その三は『労働力は国の特別な保護を受ける』の原則であります。労働は商品として考えるべきでないので、それは契約の自由に委ねるわけにゆきません。国家は進んでそれを積極的に保護せねばならぬということになるのであります。人権宣言には、これに対応する規定がありません。わが日本国憲法としましては、第二十七条及び第二十八条が勤労の権利義務及び団結権に関して規定を設けていますので、これがそれになります。

かようにして、民法を公の秩序善良の風俗乃至信義誠実の原則に依って処置するというだけでは足りないことになりました。そこに、新らしい六法とも考えらるべきものが頭をもたげることになりました。

その第一が社会保障法であります。日本国憲法第二十五条は、第一項に、右の『健康で文化的な最低限度の生活』の保障を規定すると共に、第二項に、国は『社会保障』のために努めなければならないとせられ、今や、社会保険に関するものをはじめとして、社会保障に関する種種の法令ができつつあります。イギリスにおいては、社会保障に関する四種の法律が、戦時中、一九四二年にできました。これは『揺籃から墳墓に到る』までの法律として、世界的に模範視せられているもので、法律の形としても、それは一種の法典と見るべき大きなものになって居ります。かような社会保障の制度は、はじめ十九世紀の後半期にドイツが手はじめをしたところでありましたが、二十世紀に至って、イギリスがそれに倣い出し、後の烏が前になって、今日では、イギリスの制度が最も進歩したものということになったのであります。尤も、この『社会保障』という言葉は、一九三五年に、アメリカがその社会保障法において用いはじめたところであるとせられて居ります。

その第二は労働法であります。フランス民法では、労働に関し、雇用契約について一箇条のものがあるだけであります。これに対して、ドイツ民法の規定は、二十箇条にわたるもので、注目すべき進歩を示したものとせられるのでありますが、今日においては、労働法は、はるかに民法を超えて、特殊な独立の法律として、新らしい考え方に依る新らしい法規とせられることになったのであります。わが国におきましては、いわゆる労働三法、すなわち、労働組合法、労働基準法及び労働関係調整法が、特別な一団の法典を構成しているわけであります。

十九世紀の法律が身分から契約への発展を示していることは、さきに一言しました。これはメーンの有名な言葉であります。それが、今日、二十世紀に至りましては、『契約から労働へ』ということに発展せねばならぬことになりました。労働は契約を超えて国家的な保護を受けねばならぬものとせられることになったのであります。

古い六法に対して新らしい六法ということを申しましたが、右の社会保障法と労働法とが、新らしい六法においてまず数えらるべき特に重要なものであります。それにつづいて、地方自治法及び地方税法がぼう大な法典を成しているのでありますし、また、所得税法法人税法をはじめの税法が別に大きな法典を成しているのであります。この両種の法律も、亦、それに内在する貴重な社会的な理論を有っているのであります。事は、単に便宜のための技術的な法律というに止まるものではありません。

その外に、独占禁止法等の法律が、一団を成して、経済法と称せられるのでありますし、また、選挙法が一種の法典を成すものと考えられるのであります。しかし、わたくしとしては、ここに、特に二種の法律について世の注意を促したいものとおもいます。その形においては、法典を成すまでにはなお遠いものであるとせねばなりませんが、しかし、その革新的な意義においては、二十世紀の新法律として貴重なものであります。すなわち、その一は調停法であり、その二は社会防衛法であります。

調停制度につきましては、民事調停法がありますし、労働法の一部として労働関係調整法、公共企業体等労働関係法及び地方公営企業労働関係法があります。民法にも民事訴訟法にも依らないで、専ら信義誠実の原則に依ろうとするものであります。これは、二十世紀の法律文化が、十九世紀のそれに対していわば反抗を敢てするものというべきものであります。一種のレジスタンスがそこに見受けられるのであります。

その二は社会防衛法。この名称は、最近に至り、よほど広くヨーロッパで行われて居ります。われわれにとりましては、刑事政策法という方がむしろ解り易いのであろうかとおもいます。まず、少年法をはじめ、犯罪者予防更生法及び更生緊急保護法の類がそれに属するのであります。十九世紀の刑法が犯罪に対する刑として犯罪人に害悪を科するものとせられて来ましたに引き替え、犯罪を予防し、犯罪人を改善せしめることを趣旨とする新らしい法律の一団で、伝統的な刑法論がいわゆる応報刑主義贖罪刑主義を基礎としているのに対し、これは、改善主義矯正主義に依るものでありまして、これも、亦、二十世紀の文化がもたらした新らしいレジスタンスの法律制度であります。

新らしい六法が、漸次に芽生え、おのずから成立してゆくということを予定しつつ、もう一度民法に立ち帰って、法律の動きを、次回に考えることにいたしましょう。

第三話　三人の先生

前回のおしまいに、民法実施の当時に立ち帰ろうと申しました。すなわち、わたくしとしては、わたくしの学生時代のことを想い出そうというのであります。

民法の起草者であられた三人の先生の名のことはさきに申しました。穂積陳重先生（安政二年一八五五―大正十五年一九二六）と富井政章先生（安政五年一八五八―昭和十年一九三五）と梅謙次郎先生（万延元年一八六〇―明治四十三年一九一〇）とであります。わたくしは、この三人の先生に就いて法律学の勉強をはじめ得たことを、大きな幸福であった、といつも思い出して居るのであります。

この三先生のことを述べる前に、わたくしは、明治の初期において、わが国の法律学のために基礎を築かれた四人の先生の名を挙げておきたいとおもいます。その一人が、箕作麟祥先生（弘化三年一八四六―明治三十年一八九七）として、前に申し上げました方であります。フランスの諸法典を翻訳した方であられるのであります。その外に、幕末にオランダで勉強せられた二人の学者があります。その一人は津田真道先生（文政十二年一八二九―明治三十六年一九〇三）で、『泰西国法論』という著作がありますし、その他の一人は西周先生（文政九年一八二六—明治二十七年一八九四）で、この方には『万国公法』という著作をはじめいろいろの著作があります。外に加藤弘之先生（天保七年一八三六—大正五年一九一六）を忘れてはなりません。加藤先生は憲法乃至国家理論の方面に重要な業績を遺されたのであります。

これ等の先生たちは、いずれも、はじめは、いわゆる蘭学者すなわちオランダ学の学者であられました。それが更に或はフランス学の方にはいられ、或はドイツ学の方へ進まれたのであります。しかし、オランダ学蘭学からはじめられたということが、わたくしには一種の事柄を反省せしめるものになるのでありまして、それは、おのずから、幕末における幕府の文化事業を想わしめるわけであります。現に、津田先生と西先生とは、幕府からオランダのライデン大学へ留学せられたのであります。徳川幕府は、維新の際、大政を奉還したのでありましたが、それと共に、これ等の学者をして、明治政府のため、文化特に法律方面の発展のことに努めしめて、いわゆる泰西主義を採り容れることになったのであります。或人が、それは米山梅吉さんでありますが、これを、『徳川幕府の文化奉還』として説かれたことがあります。まことにおもしろい言葉であるとおもいます。これ等の先生たちは、功に依って、いずれも男爵を授けられになりました。しかし、民法が制定せられる頃には、これ等の先生たちの時代が一歩前進しまして、更に新らしく、明治政府の留学生であられた先生方の時代に遷っていたのであります。

そこで、わたくしとしては、大学に入学するや、まず、富井先生の民法の講義を聴聞したのであります。富井先生の講義から、わたくしが学びましたのは、フランス法とドイツ法との比較ということでありました。おだやかな調子で、ただ平明に真直に説明をつづけられるのでありました。先生は、フランスで勉強せられたのでありましたが、（先生は政府の留学生ではありませんでした）、ドイツ法についての造詣が深かったのであります。そうして、わが民法を論ずるのについて、常に、フランス法とドイツ法との比較に依って妥当な解決を求めるという態度を示されたのであります。抑も、フランス法の考え方は、さきに申しましたボアソナード先生に依ってわが国には広く滲みわたっていたのでありました。ボアソナード先生は、わが政府の招聘に依って、一方には民法法典編纂の事業に当られると共に、他方においては、司法省の法学校において、（これは、後に、東京大学と合併して、帝国大学になり、東京帝国大学になりました）、裁判官の養成に骨を折られたのでありました。しかし、ボアソナード先生の手に依ってできた旧民法が捨てられることになりまして、わが民法は、新たにドイツ民法の草案を手本としてこしらえられることになりました。そういうわけからいたしまして、わが民法を理解するには、フランス法とドイツ法との比較ということは、まず、実際上極めて適当な方法であったといわねばなりません。しかし、フランス法とドイツ法とを比較するということは、単にフランス法そのものとドイツ法そのものとを比較するというだけのことに止まるのではないのであります。フランスという法典国の法律及び法律学と、その頃まではまだ法典のなかったドイツの法律及び法律学、そこでは歴史派の法律学というのが行われていましたので、それとを比較するという意義のものであるのであります。そうして、更に、それればかりでなく、フランス法の基礎となっているローマ法とドイツ法の背景となっているゲルマン法との比較ということにもなるのであります。(さきに、ドイツではローマ法が慣習法として継受せられたということを申し上げましたが、ドイツには、なお、その民族の固有法としてのゲルマン法があったのであります)。ローマ法は個人主義の法律であり、ゲルマン法は団体主義の法律であるとせられているのであります。こうなりますと、フランス法とドイツ法との比較ということは、直ちに、法律思想における二大潮流を論ずることになりまして、そのまま、法律哲学に連なるわけになるのであります。

次に、梅先生の民法の講義は、先生の雄弁と精鋭な論理とを以ってして、元気の満ち溢れたものでありました。先生は、留学生としてフランスで勉強せられたのち、更にドイツでも勉強になったのであります。先生も固より比較法的な立場を重んぜられたのでありますが、法律を論理的に分析し、それを更に綜合して、各種の問題に対し快刀乱麻で解決せられるというのが、われわれには痛快でした。しかし、それを超えて、わたくしが一種の影響を受けましたのは、先生が自然法論者であられたことであります。その当時、自然法ということは、ドイツの学界でははやらないのでありました。法律は各民族の歴史的な成果であり産物であるとせられたのでありまして、これが右に申しました歴史派の学説であります。しかし、梅先生は、フランスの学界において行われていた自然法という考え方、すなわち、現に法律として成立しているところの法律を越えて、その上に位する道理としての法律、人間の人間たる性質の上に基礎を有っている法律、言い換えれば、人の定める法律ではなくして、自然に成立している法律ということを説かれたのであります。梅先生は、民法の条文をいわばあやつることが極めて巧妙であられましたので、解釈法律家としては理想的な学者であられたとおもうのでありますが、しかし、その背後に、かく自然法ということを予定していられたのであります。わたくしは、梅先生に依って、いかなる法律論でも、条文の基礎の外に、更に自然法の根拠がなければならぬということを教えられたのであります。

最後に、穂積先生は、法理学すなわち法律哲学の先生であられました。民法の解釈論については、先生から教えられるところがありませんでした。しかし、先生からは二つの重要なことを教えられました。その一は比較法ということでありましたし、その二は法律の進化ということでありました。穂積先生の比較法は、フランス法とドイツ法との比較法というのに止まらないもので、古今東西にわたる広い大きな構成の比較法であります。わたくし自身としては、穂積先生から英米法に対する興味を覚えしめられました。先生は、留学生としてイギリスで勉強せられましたので、バリストルであられました。その上に、更に、ベルリン大学で勉強せられたのであります。その一種の立場から、フランス法とドイツ法との外に、英米法の有っている特色の貴重なものであることを教えてくれられ、更に、世界的に比較法をするという立場から、東洋の古典を比較法的に研究し、例えば、わが国の固有法乃至中国文化から継受したものの価値を反省するということを教えてくれられたのであります。しかし、何といっても、穂積先生から受けた影響のわたくしにとって最も重大なのは、法律の進化ということであります。

法律を、その成立した時代に就いて考えますと、それは正しいものとして制定せられたものでありますしかし、その正しいとせられる様子、すなわち、正しさが、時代に依って変ってゆくのでありまます。縦に、時代に就いて考えるとそうなるのですが、横に、民族に就いて見ましてもおなじことがいい得られるのであります。前に、ローマ法及びゲルマン法ということを申しましたが、ヨーロッパにおいて、南方の民族たるローマ人の法律と、北方の民族たるゲルマン諸民族の法律とを比較して見ますと、各特色があるのでありまして、それは、その民族のそれぞれが抱いている正しさについての考え方、すなわち正義観がちがっているわけになるのであります。ローマ法の個人主義とせられるものを考えて見ますと、これも尤もとせられるのでありますし、ゲルマン法の団体主義とせられるもののを研究して見ますと、これにも、亦、十分の理由があるのであります。そこで、下級民族の法律に就いて事を考え、今日の文化諸民族の法律に就いて事を論じ、すべてを比較法的に考えますと、そこに、正義の観念の進化ということが考えられることになるのであります。近代の十七世紀十八世紀において、自然法ということが考えつかれましたときには、それは、時代と国とを超越した天地自然の道理であり、人類普遍のものであるとせられたのでありますが、理屈の上で、論理的に考えられるそういうものがあるはずであるにしましても、現実にその自然法とせられるもの、すなわち自然法に対する世の中の人の認識には、民族と時代とに依る差異があるのであります。そこに法律の進化ということが考えられるのでありまして、現実の法律が進化するものであるということの外に、自然法までが進化するのであるということになるのであります。すなわち、自然法に対するわれわれの認識は進化するのであります。

穂積先生は、自然法ということはあまり説かれませんでした。しかし、十九世紀の初頭に成立したフランス民法から十九世紀の末尾に成立したドイツ民法への進化ということを、わたくし共の研究の課題とせられたことになるのであります。われわれの学級のために開かれました法理学演習において、『法律と社会主義』というのをテーマとせられましたが、それが、すなわち、その意味になるものであります。

わたくしは、穂積先生から教えていただくことのできた法律の進化ということと、梅先生から学ぶことのできた自然法ということとを結びつけまして『自然法の進化』というように考えることにしました。そうして、それについては、フランス民法とドイツ民法との比較に依って、すなわち、十九世紀当初の法律思想と二十世紀におけるそれとの比較に依って、理解を進めて見たいということになったのであります。そこで、すでに明治時代に、権利の濫用とか無過失損害賠償責任とかいうことを問題としまして、大学院の学生時代に、固より未熟ではありましたけれども、東京大学法学部の機関雑誌たる法学協会雑誌の上で、学友と論議し合ったことでありました。

わたくしは、明治四十三年に留学生として、ドイツ、フランス及びイタリヤの諸国に勉強に行くように命ぜられまして、彼の地に在留三年を送りました後、大正二年に帰朝いたしました。わたくしの専門は刑法でありますが、刑法の研究には、それと車の両輪を成すところの民法の研究もせねばなりませんので、この両つを併せて、いささかながら研究して来ました。

帰朝して間もなくのことでありましたが、大審院で、一つの事件が問題となりまして、その判決が世の中をおどろかすことになりました。それは貞操蹂躙事件と称せられたものでありますが、玄人の間では婚姻予約乃至内縁関係についての判例とせられるものであります。大正四年一月二十六日の判決であります。

事件は、事実上婚姻生活を営んでいた甲乙両人の間において、甲という男子が、乙という女子を、いわれなく離別した、というのでありました。かような場合に、乙の方から損害賠償の請求をしたという事例は、すでに明治時代にもあったのでありますが、大審院はそれを許しませんでした。それは民法の旧第七百七十五条第一項が規定して、『婚姻は之を戸籍吏に届出づるに因りて其効力を生ず』としていましたので、事実婚すなわち単に事実上婚姻をするというだけでは、法律上何等の効力を生じないから、というのでありました。しかし、この新判例で、従来の判例が改められ、新たに、事実婚は婚姻の予約であるとして取扱われることになりました。判決をそのまま朗読したのでは或はおわかりにくいかと存じますので、抜萃しながら、少しづつ朗読して、それに註釈を試みることにいたします。まず曰く、『婚姻の予約は将来に於て適法なる婚姻を為すべきことを目的とする契約にして、其の契約は亦適法にして有効なりとす』と。判決は、まず、事件における事実が婚姻の予約として法律上保護せられるはずのものであるとしたのでありました。しかし、いわゆる法律婚すなわち法律上の婚姻ではないのでありますし、また、それに由って婚姻すべきことを強制することのできる筋合のものではない、としました。それで、婚姻そのものは強制することを得ないのでありますが、しかし、損害賠償を請求する原因にはなるとしたのでありました。曰く、『法律上之に由り当事者をして其の約旨に従い婚姻を為さしむることを得ざるも、当事者の一方が正当の理由なくして其の約に違反し、婚姻を為すことを拒絶したる場合に於ては、其の一方は、相手方が其の約を信じたるが為めに被りたる有形無形の損害を賠償する責に任ずるものとす』と。そこで、その理由を次のように説明しました。『蓋し、婚姻は戸籍吏に届出づることに因りて始めて其の効力を生じ、其の当時に於て当事者は婚姻を為すと為さざるとの意思の自由を享有するを以て、当事者が将来婚姻を為すべきことを約したる場合に於ても、其の約旨に従い婚姻を為すことを強ふることを得ず。然れども、婚姻を為す当事者は、其の届出以前に先づ将来婚姻を為すべきことを約し、而して後、其の約の実行として届出を為すは普通の事例にして、其の約を為すことは実に婚姻成立の前提に属し、固より法律上正当として是認する所なれば、適法の行為たるや言を待たず』と。すなわち、実生活における事実を基礎として、法律上それが適法視せらるべきことを明かにしたのであります。そこで、つづいて曰く、『而して、其の契約は、当事者が相互間に将来婚姻の成立せんことを欲して誠実に之が実行を期し、其の確乎たる信念に基づき之を約すべきものなることは、其の契約の性質上当然に然るべき所なり。従て、既に之を約したるときは、各当事者は之を信じて相当なる準備の行為を為し、尚ほ進みて慣習上婚姻の儀式を挙行し、事実上夫婦同様の生活を開始するに至ることあり。斯の如きは婚姻の成立するに至るに相当なる径路として普通に行はるる事例にして、固より公序良俗に反することなく、社会の通念に於て正当視する所なり』と。かように論じたのであります。

判例は、一方において、斯く、信義の原則を挙げていますし、他方において、また、斯く、社会の通念に訴えているのであります。それで、更に次のようにいって居ります。すなわち、『しかるに、若し当事者の一方が正当の理由なくして其の約に違反し、婚姻を為すことを拒絶したりとせんか、之が為めに、相手方が其の約を信じて為したる準備行為は徒労損失に帰し、其の品位声誉は毀損せらるる等、有形無形の損害を相手方に被らしむるに至ることなしとせず。是れ、其の契約の性質上当に生ずべき当事者の婚姻成立予期の信念に反し、其の信念を生ぜしめたる当事者一方の違約に原因するものなれば、其の違約者たる一方は、被害者たる相手方に対し、如上有形無形の損害を賠償する責任あることは、正義公平を旨とする社会観念に於て当然とする所にして、法律の精神亦之に外ならずと解すべきなり』として、損害賠償の責任あるものとしたのであります。

この判決は、当時、大に世をおどろかしました。一方において、それは、民法の正文上、解釈としておかしいとおもわれるようなのでありながら、しかし、他方において、それは、実体において、至極衡平妥当なものとせられたのであります。わたくしは、この判決において二つの点を特に重要なものと考えるのであります。その一は、民法が、婚姻は届出に依って成立するものとしているのを解して、その反対に届出がなければ婚姻はないとする考え方を採らなかったことであります。逆は必しも真ならずであります。届出がなければ、いわゆる　律婚は成立しないのでありますが、その外に、社会の通念から考えられた婚姻がありまして、それが、いわば事実婚として、やはり、法律上保護せられねばならぬということになるのであります。それには、相互の信義ということ、善良の風俗ということ、そうして、結局において健全な社会の通念ということが基準として考えられることになるのであります。

その二は、権利を行使するについては、その行使に因つて損害を受けるべき他人の地位を考慮することを要するという一種の法理であります。固より、事実婚を理由として法律婚を要求し強制することはできません。すなわち、事実婚、判例の用語に依れば婚姻の予約は、いわば、当事者の一方において何時でもこれを破棄する権利があるのであります。しかし、その権利として破棄することの反面には、損害賠償の義務があるのであります。

この判例は、民法の外に、否その上に、自然法があること、そうして、その自然法が進化するものであることをわれわれに示したことになるものと、わたくしは考えるのであります。民法の規定をとおして自然法に訴え、その自然法に依って民法の規定を按排することになるのであります。法律家たちは、一度おどろきつつも、やがて、それを承認することになったのであります。また、社会の通念は現にこれを支持したのであります。このいわば一種の大岡裁判に対し、まことにさもありなんとしたのであります。民法が、終戦後、改正せられまして、親族相続に関する部分は、その面目を一新するに至ったとせられるのでありますが、この問題については、正文上解決せられた何ものも見られません。この判例は、今日では古いものでありますが、しかし、やはり、現在もなお活きている判例法として考えらるべきものであります。

第四話　大正時代の判例

前回には、大正のはじめに示された注意すべき判例の内縁破棄問題に関するものを挙げました。これは、わたくしが自然法の進化として考えていまする現象の著しい一例であるわけであります。法律の理屈には合わないように見えつつ、すなわち、これまでの自然法ではおかしいと思われつつ、しかし、実体的にはそれが結構であるということになるのでありまして、そこに新らしい自然法が現われ出るわけになります。法律は、本来、事物の道理に依って制定せられるものなのでありますが、それがそのままで一定の時が立ちますと、事物の道理としては疑われるところがあるものとせられることになるのであります。しかし、また、そう疑われつつも、理屈の上から止むを得ないということになりまして、そこに、一種の無理ができるようになります。すなわち、法律は、自然法からはじまりつつ、漸次自然法から離れてゆく傾向のあるものということになりまして、その間に、流れと逆流とで渦巻が起るようなことになります。法律も、世の中のすべてとおなじく、年をとり、老朽化してゆくのでありますが、そこに、法律は、まず、おのずから権力化し、無理押しをすることになります。すなわち、ひたすら国家の権力に依り、強いだけのものとして行われることになるのでありまして、世の中では御無理御尤もということになり、法律家の方面では、悪法も法なりということになります。しかし、また、そうすると、今度は、自然法が頭をもたげることになりまして、それがその権力たる法律に対して反抗することになります。外国の或学者が、わたくしが斯く自然法の進化と称していまする現象を目して、自然法の本来の面目は闘争に在るということを論じて居ります。昔は、自然法に依って、封建制王権制の中世法律に対し、フランス大革命が争ったことになります。そうすると、今度は、フランス革命に依ってできたナポレオン法典の原則、すなわち、所有権及び契約の自由の原則に対して、二十世紀の文化が、すなわち、新らしい自然法が、争いをする、反抗をする、レジスタンスをする、ということになります。そこに、法律の進化が成立することになります。前回に申し上げました大正四年の判例の文化的意義がかような点にながめられるわけであります。

事実婚は、社会の通念上、必しも公の秩序善良の風俗に反するものでないとして、その後いろいろの法律がこれを保護して居ります。例えば、労働基準法第七十九条が、『労働者が業務上死亡した場合においては、使用者は、遺族又は労働者の死亡当時その収入によつて生計を維持した者に対して……遺族補償を行わなければならない』としているのなどがその著しい一例であります。民法の新親族法は、個人の尊厳と両性の本質的平等とをふりかざしまして、野心的な改正を施したものとせられるのであります。内縁関係については、不幸にして、何の抱負も工夫も示して居りません。これは前回に申し述べました。

さて、大正前期の判例として、なお一つのものを挙げましょう。それは身元保証についてのものであります。内縁破棄事件の判例とおなじ年の大正四年の十月二十八日の言渡になって居ります。これは、約束は守られねばならぬという原則に修正を加えたものといい得ましょうか、又は、契約の解釈ということにつき、信義則に依る新らしい原則を明かにしたものということになりましょうか。兎に角、身元保証は、正当な理由のある場合においては、身元保証人の方面から解約のできるものである、ということが明かにせられたのであります。わたくしから見ますれば、信義誠実の原則が、法律行為の取扱い、すなわちその解釈にいかなる役目のものであるかを説いたことになるのでありまして、学問的には、これを、法律行為の客観的解釈と申すのであります。事実は、雇主が、雇い入れた青年において二度目の使い込みをした場合に、その身元保証人に対して請求ができるか、というのでありました。判決を読み上げます。まず曰く、『身元保証人が自己の一方の意思表示に依り、その契約を解除し得るや否やに関しては、民法には特別の規定存せざるを以って、身元保証契約の性質に徴し、契約当事者の意思を推測して之を定むるの外なきものとす』と。民法家のこれまでの説明に依りますと、契約の自由の原則に依り契約は守らるべきであるということになっているのでありますが、大審院は、そこに一種の逃げ道を見出したのであります。それは、契約の性質、事件で申しますれば身元保証の性質ということになるのであります。それで、つづいて曰く、『身元保証契約に一定の期間あるときと雖も、使用者に於て、被使用者の背任行為に因り損害の生ずることありて、法律上解雇の原因発生したるに拘らず、解雇することなく、依然之を使用する場合の如きは、身元保証人に於て、自己の一方の意思表示に依り、将来に向って身元保証契約を解除することを得るものと謂はざるべからず』と。かような考え方で、身元保証契約は、保証人、すなわち当事者の一方の意思表示で解約せられ得るものとしたのでありました。そこで、更に一歩を進めて次のように論じて居ります。曰く、『全然期間の定めなきときは、其の身元保証契約は、固より身元保証人をして無際限に保証の債務を負はしむるものに非ずして、単純に終了時期の定めなきものたるに過ぎざるを以て、此の場合は、身元保証人の一方の意思表示に依り将来に向って解約を申入るることを得べく、且つ、各場合の事情に従ひ、解約の申入後相当の期間を経過したる時期を以て解約の効力を生ずるものと為すを以て、身元保証契約を締結する当事者の意思に適合するものと謂はざるべからず』と。そうして、最後に、更に、『身元保証人が被使用者の任務に違背する行為に因りて将来発生する債務を保証するは、無償にて之を約するを通常とし、身元保証人の保証に因り使用者に不慮の損失を蒙ることなからしむるを趣旨とするが故に云云』といって居ります。雇主の方では、その雇人が信頼し得るや否やをためす間、身元保証人の責任をたよりにすべきであるが、その一定のためしの時期が経過してもなお、身元保証あるの故を以って、その者をそのまま雇いつづけることは、信義の原則に反するものといわねばなりますまい。すでに、雇人の最初の過失について身元保証人を責めた以上は、その後は、雇主は自己の責任において、その雇用関係を継続せねばならぬわけであります。

身元保証については、昭和八年法律第四十二号を以って、特別の規定が設けられました。契約の自由ということは固より重要な原則でありますが、しかし、それに対し、新らしい自然法が争ったわけになります。

大正の前期は、第一次世界戦争に因る好景気の時代とせられたものであります。しかし、世間の景気がいいということになりますと、その反面に社会問題という暗い陰が浮き上って来るのであります。そうして、終に大正七年の米騒動ということになりました。米騒動に引きつづいて休戦となり、大正八年に至って、ヴェルサイユの平和条約、それからワイマール憲法ということになったのであります。そこから、大正後期がはじまるのであります。

大正後期の法律現象としましては、立法上、注意すべき変革があったのでありまして、それは後に述べたいとおもいますが、わたくしは、ここで、なお暫く判例のおはなしをつづけることにお許しをねがいたいとおもいます。

まず、大正後期に至りまして、はじめて判例に『信義の原則』という言葉が現われることになりました。これは買戻権に関する大正九年十二月十八日の判決であります。これも、ややお聞取りにくい点もありましょうが、判決を、兎に角、そのまま朗読することにいたします。すなわち、『売方が其の有する買戻権を行使せんとするには、買戻の期間内に代金及び契約の費用を提供することを要すること、民法第五百八十三条の明示する所なりと雖も、売主の現に提供したる代金及び契約の費用の合額が極めて些少の不足あるに過ぎざるときは、買主に於て、之に藉口し、代金及び契約の費用の提供なきを以て買戻の効力を生ぜずと主張することを得ざるものとす。蓋し、斯る不足額は買主に於て買戻を為したる売主に対し辨済を請求するを得べきこと勿論なりと雖も、斯る不足あるを口実として買戻の効力を生ぜずというが如きは、債権関係を支配する信義の原則に背反するを以て、斯る不足あるに過ぎざるときは、買戻の効力を生ずと解するを相当とすればなり』というのでありました。事案においては、五百二十九円八銭を提供すべきでありましたのが、売主の思いちがいで五百二十七円しか持参しなかったというのでありました。

そこで、今度は、更に、生存権に関する一判例というのを挙げましょう。妻の借財に対する夫の許可権についてのもので、大正九年九月一日の言渡になって居ります。民法の旧第十四条には、妻が借財を為すには夫の許可を要するものとなって居りました。これは、新らしい民法では廃止せられ削除せられましたので、今日では、妻は、両性の本質的平等の原則に依り、いわば自由に借財をすることができるわけになって居ります。尤も、借財の仕様に依っては、民法新第七百七十条第一項第五号に『婚姻を継続し難い重大な事由があるとき』という規定に依って、裁判上の離婚の原因となることもありましょうですが、それは、ここでは、固より、問題外といたします。

そこで、右の妻の借財に関する判例についておはなしいたしましょう。まず曰く、『妻が借財を為すには、民法第十四条に依り、夫の許可を受くることを要すれども、其の許可は必しも明示たることを要せず、又、各借財を為すに付き特定的に其の都度許可を受くることなく、予め一般的に之を受くることを妨げず』と。こう駄目石を打って置きまして、そこで進んで曰く、『而して、夫が出稼の為めに妻を故郷に残して遠く海外に渡航し、数年間妻子に対する送金の途を絶ちたるが如き場合に在りては、其の留守宅に相当なる資産ありて、生活費に充つることを得るが如き特別なる事情なき限りは、妻に於て、一家の生活を維持し、子女の教養を全うするがために、其の必要なる限度に於て借財を為し、以て一家の生計を維持することは、夫に於て予め之を許可し居りたるものと認むべきは条理上当然にして、斯く解して初めて其の裁判は情理を尽したるものと謂はざるべからず』と。自分の裁判に自画自賛をして居ります。そこで、この判決を、わたくしは、右に申し上げました如く、生存権に関する判例としているのでありまして、それは、やや大袈裟な言い草になっていることともおもうのでありますが、やはり、この小さな市井の一出来事においても、新憲法第二十五条が、『健康で文化的な最低限度の生活』の保障ということを規定している趣旨の適用が、すでにその当時において示されて居るものと考えるのであります。すなわち、この判決が『一家の生計を維持し子女の教養を全うするがため』としていますのは、妻の借財が生存権のためのものであることを示しているのであります。そうして、判決は、かような借財に対しては、夫が事実として許可を与えたかどうかを論ずるのでなく、そこには、条理上、当然に、夫の許可があったものと看做したことになるのであります。言い換えれば、それは、夫の許可はもはや必要なものでないとしたわけになるのであります。事案の事実を判決に就いて述べますと次のようなことになって居ります。『本件被上告人の夫は出稼のため明治四十年中より渡米したることは当事者間に争なき所にして、而して本件二口の借財は何れも渡航後三四年を経過したる後に係り、且つ其の金額も僅かに二十円と十五円とに過ぎざるが故に、被上告人の夫に於て、不在中家族の生活のために適当なる生活費を送金し来りたるが如き事情なき限りは、生活上必要なるものと認むるを適当とする此等の借財を為すことは、予め上告人の夫に於て許可し居りたるものと判断すべきは当然なり、云云』と。新憲法の下に親族法が改正せらるるに先だち、すでに判例がかような態度を示して居るのであります。

そこで、もう一つ判例を申し上げて見たいとおもいます。これは老舗権に関する判例とせらるるものでありまして、営業というい わば勤労の一種の塊りが、所有権に対して、いかなる地位を占めるかを示したものであります。法律的な問題としては、不法行為に因る損害賠償についての民法第七百九条の解釈についてのものであります。われわれはこれを大学湯事件の判例と申すのであります。京都大学の近所で起った事件であります。

上告人甲の先代が、被上告人から大学湯と呼ばれる湯屋の建物を賃借いたしまして、そこに湯屋業を営んで居りました。その営業たる湯屋業は、上告人の先代以来の重要な利益であったわけでありまして、被上告人たる家主はその事情を能く承知していながら、その建物の賃貸借の期間が満了したというので、それを機会に、その建物を他に高く賃貸して、上告人に対し、その営業を継続することのできないようにしたのであります。賃貸借の期間が満了したのでありますから致し方がないといえばそれまでのことになるのですが、上告人としては大きな損害を被ったわけになるのであります。大阪控訴院は、その営業たる老舗を以って重要な財産的価値のものと認めはしたのでありましたが、これは単純な事実関係に過ぎないものとしたのでありました。しかし、大審院は、大正十四年十一月二十八日の判決で、上告人を救済することにしたのであります。ここでも、ややうるさいことかとも思われますのですが、やはり、判決をそのまま朗読することに御許しねがいたいとおもいます。判決ですから、法律論でありまして、民法第七百九条の規定、すなわち、故意又は過失に因って他人の権利を侵害した者は損害賠償の責に任ずるものとする規定の解釈をしているわけであります。すなわち、『民法第七百九条は、故意又は過失に因りて法規違反の行為に出で、以て他人を侵害したる者は、之に因りて生じたる損害を賠償する責に任ずと云ふが如き広汎なる意味に外ならず。其の侵害の対象は、或はかの所有権、地上権、債権、無体財産権、名誉権等、所謂一の具体的権利たることあるべく、或は之と同一程度の厳密なる意味に於ては未だ目するに権利を以てすべからざるも、而も法律上保護せらるる一の利益たることあるべく、否、詳しく云はば、吾人の法律観念上其の侵害に対し不法行為に基づく救済を与ふることを必要とすと思惟する一の利益なることあるべし。夫れ、権利といふが如き名辞は、其の用法の精疎広狭固より一ならず、各規定の本旨に鑑みて之を解するに非ざるよりは、争でか其の真意に中つることを得んや。当該法条に「他人の権利」とあるの故を以て、必ずや、之を夫の具体的権利の場合と同様の意味に於ける権利の義なりと解し、凡て不法行為なりと云ふときは、先づその侵害せられたるは何権なりやとの穿鑿に腐心し、吾人の法律観念に照して大局の上より考察するの用意を忘れ、求めて不法行為の救済を局限するが如きは、思はざるも亦甚しと云ふべきなり』と大に控訴院を叱りつけて居ります。さきに挙げました判決では、『当然の法則』とか、『社会の通念』とか乃至『情理』の上でなどという言葉が用いられましたが、ここでは、やや小むづかしく、『吾人の法律観念』とし、『大局の上より考察するの用意』とせられることになりました。そこで、判決は次のようにつづけて居ります。『本件を案ずるに、上告人先代が大学湯の老舗を有せしことは原判決の確定する所なり。老舗が、売買、贈与、その他の取引の対象となるは言を待たざる所なるが故に、若し被上告人が法規違反の行為を敢てし、以て上告人先代が之を他に売却することを不能ならしめ、其の得べかりし利益を喪失せしめたる事実あらむか、是れ、猶、或人が其の所有物を売却せんとするに当り、第三者の詐術に因り売却は不能に帰し、為めに所有者は其の得べかりし利益を喪失したる場合と何の択ぶ所かある』と。この事案において、被上告人が、上告人先代との賃貸借が満期になるのを待って、その建物を他に賃貸したのは、違法なものとせられたのではなかったのであります。しかし、それに因って上告人先代に損害を生ぜしめた点が『法規違反』であるとせられたわけになるのであります。上告人先代の勤労の結晶たる老舗に対しては、建物の所有権は適当に譲歩するところがなければならぬものとせられたのであります。

このような問題については、非常時の昭和十六年に至りまして、借地法借家法の改正がありましたため、立法上或程度の解決を見ることになりました。それは、借地法第四条第一項、借家法第一条の二であります。借家法に就いて見ますと、次のようなことになって居ります。『建物の賃貸人は、自ら使用することを必要とする場合其の他正当の事由ある場合に非ざれば賃貸借の更新を拒み又は解約の申入を為すことを得ず』というのであります。大学湯事件の当時におきましては、契約の当然な更新

が認められませんでしたので、問題を単に損害賠償に因って解決すべきものとせられたのであります

が、借家法の改正では、建家の賃借人は賃貸借の更新を請求し得ることにせられたのであります。

損害賠償という形で救済をするか、契約の更新を認めることに因ってそうするかということは、一種の法律的な仕組み、すなわち技術になりますので、ここでは、それまでには立ち入りません。しかし、法律が、何等かの方法で、かような場合には救済をせねばならぬ、とせられたところに、わたくしの言葉を以ってしますれば、自然法の進化が在ったことになるのであります。

第五話　大正後期の二つの立法

前回には、大正後期の判例について述べましたが、それについては、なお一つの判例のことを申し上げておかねばなりません。それは、夫の貞操義務の判決とせられるものであります。

事件は、民事事件のものでなく、刑事事件のものであります。被告人某が恐喝をやったというのでありましたが、それが有罪になるかどうかにつき、夫に貞操義務があるかどうかを判断せねばならぬことになったのであります。この恐喝罪の法律関係につきましては、刑法上のやや込み入った問題があるのでありますが、それは別のことに御承知をおねがいしまして、夫の貞操義務という点のおはなしをすることにいたしたいとおもいます。

事件は、被告人たる甲が、――これは弁護士の書生であるとかいうのでありました――乙女の依頼を受けて丙女を恐喝したというのでありました。乙女の夫たる者が、乙と子供とをかえりみないで、丙女と同棲していたのでありましたが、乙女は貧乏をして居り、これに対して、夫たる者の相手の女子丙は余裕のある者でありました。そこで、被告人たる甲が、乙女のために、その丙女に対し、その男と同棲するのは姦通罪になるからといっておどし、告訴をしない代りとして、若干の金員を受取ったのであります。それは手切金及び子供の養育費というのでありました。

裁判所の見解では、若し乙女にその金額を請求する権利があるのならば、それは受け取り得るものを受け取ったというだけで、恐喝罪の成立はない、そうして、乙女にその金額を請求する権利があるや否やは、その夫たる者に貞操の義務があるかどうかに依って定まる、というのであります。そこで、控訴院の判決では、その乙女はその夫たる者に対し貞操の義務を要求する権利がないものとして有罪の言渡をしたのでありましたが、上告の末、大審院ではちがった見解を明かにしました。ここでも、やはり、判例をその原文のままに朗読することに御承知をおねがいいたします。曰く、『婚姻は共同生活を目的とするものなれば、配偶者は互に協力して其の共同生活の平和、安全及び幸福を保持せざるべからず。然り而して、夫婦が相互に誠実を守ることは、其の共同生活の平和、安全及び幸福を保つの必要条件なるを以て、配偶者は婚姻契約に因り互に誠実を守る義務を負ふものといふべく、配偶者の一方が不誠実なる行動を為し、共同生活の平和、安全及び幸福を害するは、即ち婚姻生活に因りて負担したる義務に違背するものにして、他方の権利を侵害するものと謂はざるべからず。換言すれば、婦は夫に対し貞操を守る義務あるは勿論、夫も亦婦に対し其の義務を有せざるべからず』と。しかし、そこに問題となりますのは、民法旧第八百十三条と刑法旧第百八十三条との規定なのであります。民法の従来の規定では、夫が他の婦女と関係を有つことは離婚の原因とせられなかったのでありますし、刑法では、それは姦通罪とせられなかったのであります。すなわち、男女の間に、差異が認められていたのであります。しかし、かような差異の点は、今日では、新憲法第二十四条における『両性の本質的平等』の原則から、すでに改正になりまして、民法新第七百七十条では、離婚の原因の第一に、配偶者に不貞な行為があったとき、と平等に取扱われることになりましたし、刑法では、姦通罪の規定は削除せられることになったのであります。しかし、事件の当時においては、かく、民法においても、刑法においても、男女の間に区別がありましたので、夫に貞操の義務があるというようなことは、法律上の事柄としては、何人も考えていなかったところなのであります。控訴院の判決は、それを示したものであったのであります。しかし、考えて見ますと、すでに大正の末期に至りましては、社会の通念はよほど趣を異にすることになっていたということになりましょう。かくして、大審院はかような判例を下すことになったのであります。民法学者たちも、はじめはこの裁判にややおどろいていたようでしたが、追々にこれを承認することになりました。この判例は、判決でなく、実は決定なのでありまして、大正十五年七月二十日に言渡されたものであります。当時、わたくしはヨーロッパへ出張中でありました。秋の末に帰朝いたしましてこの判例を知りましたが、同時に、民法家の何人もこれを批評していないことを知りました。おそらくは、わたくしが、法律家としてははじめて、この判例を批評し、これに賛成する旨を発表したのではなかったかとおもうのであります。この裁判の折の裁判長は、大審院長の横田秀雄博士（文久二年一八六二—昭和十三年一九三八）であられましたが、『法窓思い出草』として大阪朝日新聞に書かれたものに依りますと、裁判は下されたものの、法律学界がいかに批評するであろうかに、いささか気がかりのものがあられたかに思われるのであります。そうして、わたくしが、『率先して賛成』したとして、満足の意を表していられるのであります。（さきに、明治四十三年に一厘事件というのがありまして、その判決は横田博士が起草せられたのであったらしいのですが——その重要な判決のことは、この講演では遺憾ながら申し上げる余裕がありません——学界に反対論者が多数であった中に、勝本勘三郎博士とわたくしとが賛成したので、『責任解除を得た思いがした』としてくれられています）。民法学者で、特に親族法の専門家と名乗っていられるのが、右の判例を冷評したり、なお、わたくしに対しても、それは判決でなくして決定であるなどと迫られたのがありましたが、判決と決定との差異というような技術的なことが、ここで問題となるわけのものではありません。大審院が兎に角かような裁判を下したというのが、法律思想の発展の上で重要なことなのであります。そうして、その裁判は、民法や刑法やの旧規定を批評しまして、『民法第八百十三条は夫の姦通を以て婦に対する離婚の原因と為さず、刑法第百八十三条も亦男子の姦通を処罰せずと雖も、是れ主として古来の因襲に胚胎する特殊の立法政策に属する規定にして、これあるが為めに婦が民法上夫に対して貞操義務を要求するの妨と為らざるなり』と言い放ったのでありました。（なお、ちなみに申し上げますが、さきに挙げました大正四年の判決、すなわち貞操蹂躙事件の判例とせられるものは、大審院民事連合部の判決で、大審院判事諸氏の特別な決心に因って従来の判例を改めたものになっているのでありますが、これも、当時の民事第三部長であられた横田博士の執筆にかかるものというようにうかがって居ります）。

大正時代特に大正の後期において、判例の注意すべきものが、なおいろいろあるのでありますが、わたくしは、やや方面を変えて、今夕の題目たる二つの立法ということを述べて見たいとおもいます。それは、共に大正十一年にできたものでありまして、その一は、大正十一年法律第四十一号の借地借家調停法でありますし、その二は同年法律第四十二号の少年法であります。さきに、新らしい六法ということを申し上げましたとき、その最後に、新らしい二つの法典として、調停法及び少年法というのを挙げましたが、その二つであります。上に一言しましたように、法典というほどにはないむしろ小さい形の法律であります。

まず、調停法のことを一言いたします。大正の前期は第一次世界戦争のためにわが国は好況時代といわれたのでありましたが、毎々申しますように、好況時代の明るさには、同時に、社会問題という暗い陰がつきまとうのであります。大正前期においては、まず、特に住宅問題がやかましいことになりました。

この住宅問題につきましては、判例がいろいろ苦心を示して、横暴な家主に対し、気の毒な借家人を保護したのでありましたが、具体的な一つ一つの事件についての判例というだけでは、問題を、社会問題としてしかるべく解決することができません。そこで、大正十年に至って、借地法及び借家法という法律ができたのでありました。

この両つの法律は、その精神においては社会的なものでありますが、その実施の結果は、予期した如くにまいりませんでした。そこでできましたのが借地借家調停法というのであります。民事訴訟では、民事訴訟法の明文に示されていますように、原告の『攻撃』と被告の『防禦』ということになっていまして、その組織がいわば甚しく闘争的なものになって居るのであります。しかし、それでは信義誠実の原則を手軽に円滑に運用するというわけにはゆかないのであります。そこで、新たに調停法ができました。そこでは、当事者の誠意と好意とに訴えようということになったのであります。法律としてはむしろ甚しく生ぬるいものといわねばならぬでありましょう。しかし、大正十二年の関東大震火災の際には、当時の新法律であったこの借地借家調停法が大きな効果を発揮しまして、帝都復興の基礎を定めるのに大に役立ったのであります。その効果がよかったので、その後、調停法は、借地借家関係を超えて、小作関係にも、商事関係にも、人事関係にも適用せられることになり、そうして、別に、また、労働争議にもその調停ということが行われることになったのであります。

調停法は、今日では、最近にそれをまとめて、昭和二十六年法律第二百二十二号民事調停法となって居りますが、わたくしは、ここに、最初にできた借地借家調停法に依って、その法律が思想的にいかなるものであるかを考えて見たいとおもいます。いうまでもなく、調停法は、法律としては小さいものであり、これを新六法の一つとして数えるというのは当らないことともいい得るのでありますが、その思想的な意義においては、優に一法典たるに値いするところの重要なものがあるのであります。民事訴訟法はいうまでもなく大きな一法典でありますが、これに対するものとして、調停法には、それと肩を並べて立つものである点に、重要なものがあるのであります。

調停法には二種の原理が予定せられて居るのであります。わたくしは、それを第一次の三種の原則及び第二次の三種の原則といたします。それで、二種の原則が併せて六つになるのであります。

第一種の原則と申しますのは、その一が実情主義でありますし、その二が本人主義でありますし、その三が素人主義であります。その一として実情主義と申しますのは、調停法第二条の規定するところでありまして、『調停の申立は争議の実情を明にして之を為すことを要す』るものとしてあります。従来の法律論におきましては、法律関係の形式だけが取扱われることになっていまして、その実情、すなわち具体的な実生活上の関係は考慮せられないがちになっているのであります。これに対し、調停においては具体的な実情が重要視せられるというのであります。その二として本人主義というのは、第七条第一項が、『当事者及利害関係人は自身出頭することを要す、但し已むことを得ざる事由ある場合に於ては、裁判所の許可を受け、代理人をして出頭せしむることを得』るものとしてありますのがそれであります。これは、その後改正せられまして、弁護士は裁判所の許可を待たないで代理人たることを得ることにせられましたが、兎に角、民事訴訟では弁護士を用いるのが原則とせられていますのに対し、調停では、むしろ本人自身の出頭に依って事を進めようということになるのであります。その三は素人主義であります。第十六条第二項に、『調停委員は特別の知識経験ある者に就き、毎年予め地方裁判所長の選任したる者又は当事者の合意に依り選定せられたる者の中より、各事件に付、調停主任之を指定す』とあるものであります。調停主任は法律家たる判事がこれに当るのでありますけれども、調停委員は斯く素人の間から選定せられるのでありまして、必しも法律家たることを要しないのであります。否、それが法律家たる場合におきましても、その法律家たるの点においてでなく、世故に通じている健全な常識の持主として、それに当ることになるのであります。これは、法律家でない者を裁判に参与せしめるという点において、一種の陪審制度ともいうことを得る性質のものであります。

さて、かように第一次の三種の原則を考えまして、次には、それから、更に、第二次のものとしての三種の原則が、いわば理論的に引き出されるのであります。その一をわたくしは『不当の当然化』と名づけて居ります。第三条が規定して、『当事者義務の回避其の他不当の目的を以て濫に調停の申立を為したりと認むるときは、裁判所は、其の申立を却下することを得』るものとしてあるのがそれになるのであります。すなわち、その規定において『不当の目的』としてありますのを、従来の法律的な考えに従って理解することにいたしますときには、訴訟の外に特に調停の制度を認める必要はないわけであります。それで、調停では、従来の法律的な考え方のままでは不当とせられるものでも、それを当然のものとして許されることがあるというわけになるのであります。常識的に考えてよくよく不当なものたる場合にはじめて調停の申立が却下せられるわけになるのであります。次に、その二は『社会の通念』ということであります。この言葉は現に判例がしばしば用いているところでありまして、すでにお話しいたしました判例の中にもそれが見えて居るのでありますが、調停が調停委員の手に依って為されるということは、調停委員が健全な社会の通念の代表者と見られるからということになりましょう。この調停委員が、法律上不当なものを、調停において、いわば社会上当然なものにする仕事をいたすことになりますので、そこに、社会の通念に依る解決を実現するわけになるのであります。そうして、最後に、第三は、『具体的妥当性』の原則であります。具体的妥当性などと、ややひねくれた言い現わし方になって居りますが、これは、実はわたくしが造った言葉でありますので、もとは、一種の皮肉を含めたつもりのものでありましたが、この頃では、若い法律学者の間に、何のためらいもなく、気軽に広く行われているかに見受けられるところになって居ります。言葉の意味は、砕けて申しますれば、事件そのものに適切な解決というだけのことでありまして、いわゆる理屈に拘泥しないこということだけのことになるのであります。哲学者が普遍的妥当性ということを申します。二に二を加えれば四となるということは、時間と空間とを超越して、いつの世でも、いずこの所でも、いわゆる普遍的に行われる法則でありますので、すなわち、普遍的に妥当するのであります。学者が理論乃至理屈として取扱っているものは、かような普遍的妥当性のものであります。しかし、わたくしは、これに対して、右に申し上げましたように具体的な妥当性ということを考えるのであります。すなわち、具体的な当該事件そのものに就いて考えて、それに妥当する適切な解決ということになるのであります。それで、実情主義として前に述べましたことは、すなわち具体的妥当性ということになるのであります。学問的には、『裁判上の個別主義』という言葉があるのであります。この方が或は解り易いかも知れません。具体的妥当性などというと、ドイツの哲学書に見えているところかなどとたずねる人がありますが、この『裁判上の個別主義』というのは、フランス学者の用いている言葉であります。兎角法律家の言うことを聞いていますと、鶴の脛を切り、鴨の脚を引き延ばして、それを法律的にそろえるというようなことが説かれますので、そこに法律的な一様性が在り、従って、法律的安定性が在るのであるというようにも論ぜられるのでありますが、そのフランス学者にいわせますと、裁判というものは、法律がいわば一様性のものとして規定を設けていても、実際上、事件の具体性個別性に適合するように解決を言渡すものでなければならぬ、それでなければ法律的衡平性は完うせられない、というのであります。抑も、法律家は理論乃至理屈を取扱う者でありまして、従って、裁判官の仕事は、ややもすれば右のいわゆる法律の一様性に流されることになり、しまいには、悪法も亦法なりなどと言い放つのが法律家の兎角の癖になるのでありますが、しかし、それでは、実生活上、困るのであります。法律には、公の秩序善良の風俗というような原則もありますのですし、最近までは民法の上に見えませんでしたところであるにしても信義誠実の原則ということがローマ法以来在ったわけでありますし、わが判例にも、時としては、法律を超えて当然の法則などということも宣言せられたことがあるくらいであること、さきに申し上げました如くなのであります。しかし、やはり、裁判に任せておくとなると、具体的妥当性ということが思うようになりませんので、別に、斯く調停制度が設けられたわけになるのであります。わたくしは、大正十二年の震火災の折、東京地方裁判所の借地借家調停委員をいたしていました。あの当時、玄米のお結びを腰にして、毎日、山の手の住宅から下町の区裁判所出張所まで、調停の仕事にかよいました。調停制度の発揮した効果について一種の体験を有っているのであります。

調停制度は、要するに常識裁判であります。いわばただそれだけのことでありますが、制度の理論的な性質を考えてまいりますと、それは、実に、従来の法律を否定し、従来の法律家を否定し、そうして、更に従来の裁判所をさえ否定して、事を専ら健全な社会の通念に訴え、そこに新たな法律生活を創造しようとするものであるのであります。これは、かくの如き革進的なものであるだけに、調停として、当事者の同意の下に行われるものなのであります。すなわち、権力的に裁判として言渡されるものではないのであります。新民事調停法は、第一条に、調停を『当事者の互譲により、条理にかない実情に即した解決を図る』ものと規定して居ります。

ここで、わたくしは、関東大震火災の折、大正十二年九月十二日の詔書に示された次の一節を挙げておきたいとおもいます。曰く、『凡そ非常の時に際しては非常の果断なかるべからず、若し夫れ平時の条規に膠柱して活用することを悟らず、緩急其の宜しきを失して前後を誤り、或は個人若くは一会社の利益保障の為めに多衆災民の安固を脅かすが如きあらば、人心動揺して底止する所を知らず、云云』と。これが復興のための詔書でありましたが、それは、同時に、調停法の革新的な社会的な精神に当てはまるものであります。調停法は、関東大震火災を機会とした法律思想の転回点を示すものでありました。

さて、右に述べました裁判上の個別主義という言葉は、実は、それに先き立って、刑法において成立していました『刑罰の個別主義』という言葉から来て居るのであります。そうして、少年法がその原則の適用になって居るのであります。少年法も、亦、大正後半期における法律思想の転回の一枢軸になっているのであります。少年法のことも、本日おはなしする予定でありましたが、これは次回のことに御承知をねがい上げます。

第六話　刑罰個別主義

前回に予定しておきました少年法のことをお話しいたします。調停法と共に大正十一年の立法であります。両つとも、おだやかな法律でありますが、その理論的な性質は、従来の法律に対し、全く反対なもの、百八十度の転回を敢てしたもの、著しいレジスタンスを示したもの、すなわち、むしろ革命的なものともいうことのできるものであります。調停法は、条理にかない実情に即することを趣旨とするものと新民事調停法第一条が規定して居りますが、終戦後昭和二十三年に制定せられました新少年法第一条は、『少年の健全な育成を期し、非行のある少年に対して性格の矯正及び環境の調整に関する保護処分を行う』ためのものとして、この法律ができているものと宣言して居ります。不良少年は、これを罰しないで、おだやかに保護するというのであります。

そこで、前回のおしまいに申し上げました『刑罰の個別主義』ということからはじめましょう。それには、また、明治時代に立ち帰りまして、明治十三年の旧刑法と、それを改正した明治四十年の現行刑法とのことから考えねばならぬことになるのであります。

前にボアソナード先生のおはなしをいたしましたが、先生が民法編纂の使命を負うて来朝せられましたとき、まず発見せられたのは、裁判所において拷問が行われ、それが当時の法律においては許された審理の方法なのであったことでありました。これは、すでにおはなしいたしました。そこで、そんなことでは、条約の改正などということは、到底期待せられ得るところではありませんでしたので、民法のことは暫くそれとして、先ず、刑法の編纂に着手せられたのでありました。その刑法が、明治期におけるいわゆる泰西主義の第一の法典であったのであります。明治十三年にでき、明治十五年から実施せられた法典でありまして、わたくしは、学生として、民法は、新民法に依って教わりましたが、刑法は、この旧刑法に依って学んだのでありました。

この旧刑法の第二条に、『法律に正条なきものは何等の所為と雖も之を罰することを得ず』とあります。これは罪刑法定主義と称せられるもので、刑法の大原則であります。今日では、当然の原則であり、むしろ平凡な原則でさえあるもののように考えられるのでありますが、その当時においては、破天荒な規定であったのでありました。それまでは、いわば、重々不届、不埒千万、というだけの理由で裁判せられましたのが、刑法第何何条に依って云云の刑に処すということでなければならぬとせられることになったのであります。それに、刑が甚しく軽いことになったのであります。明治初年の刑法であった新律綱領というのに依りますと、窃盗贓額二百両以上は斬、とあって、二百両以上の物を盗んだ者は死刑に処せられたのでありますが、それに対し、その刑法では、四年以下の重禁錮ということにせられたのであります。極端なのは屋外窃盗例というのがありまして、屋外の窃盗で賍額五円未満は重禁錮二月というのでありました。これは、刑法の中ででではなく、別に、明治二十三年の法律第九十九号でそういうことにせられたところでありました。

右の旧刑法は、ナポレオンの作った一八一〇年のフランス刑法をお手本としたものでありました。フランス刑法は、前にも申し上げましたように、フランス民法と相並んで、十九世紀における世界の模範法典とせられたものであります。ボアソナード先生が、フランス人であったとはいえ、わが国のために、フランス刑法を手本として刑法を作られたことは、当然のことであったのであります。

その旧刑法乃至フランス刑法において予定せられまする理論上の根拠は、今日からいえば犯罪主義ということになります。犯罪があって、これに対し刑罰が科せられるのでありますから、犯罪の軽重に比例して、刑の軽重が定められることになるのであります。殺人について申しますならば、謀殺は死刑で、故殺は無期懲役ということになり、これに対して、窃盗は四年以下ということになります。尤も、その窃盗も、別に、水火震災に乗じて犯したもの、門戸牆壁を踰越損壊して犯したもの、二人以上でやったもの、兇器を携帯してやったもの、等等と、それ等にはやや重い刑が規定せられまして、細かい規定があるのであります。外に、軽いものとして田野盗の規定というのなどもありました。屋外窃盗例のことは上に申し上げました。

ところが、世界的な出来事のおはなしとして申しますれば、一八七六年（明治九年）に、イタリヤの学者ロンブローゾの『犯罪人論』という書物が出まして、世界をおどろかしました。ロンブローゾは医学特に精神病学の学者でありまして、たくさんの犯罪人を、その医家たる立場すなわち自然科学者たる観点から研究しまして、おしまいに、犯罪人には生来的なものがあるということを云い出したのであります。犯罪人類学という新らしい学問がロンブローゾの手に依ってできたのであります。そこで、その生来的犯罪人という考え方に対してはいろいろの方面から反対論が出たのでありましたが、しかし、ロンブローゾの主張の最も基本的な点は、むしろ別に認めるべきでありまして、すなわち、犯罪ではなく犯罪人を研究せねばならぬということ、刑罰は犯罪を基準とすべきでなく、すなわち犯罪の軽重に依って刑を定めるということは無意味なことであること、すべて、刑法では、犯罪人本位に考えなおさねばならぬということが、その著書において明かにせられていますので、それが、今日では刑法の新理論として確立せられたことになるのであります。諸国は、十九世紀の末尾から二十世紀のはじめにかけて、犯罪人主義に依る刑法の改正ということを思い立つことになりました。犯罪人を基準として刑を定めることになりますと、刑は、殺人とか窃盗とかいう犯罪の性質に依って抽象的に定めらるべきものではないのでありまして、犯罪人の一人一人に就き、具体的に、その犯罪の個人的な原因すなわち犯罪人の性格と、社会的な原因すなわち犯罪人の環境とを考察して、定めねばならぬ、ということになるわけであります。

わが明治四十年の刑法、わたくし共は、それを新刑法と称しますけれども、民法がすでに半世紀を超えたものになりましたのと共に、この刑法も、もう五十年に近い刑法になっているわけであります。この刑法は、一九〇七年に制定せられましたもので、二十世紀の刑法改正としては諸国に先んじているもので、その内容においても、亦、諸国に先んじて犯罪人主義を採用したものになっているのであります。

まず、殺人の規定を見ますと、刑法第百九十九条には、『人を殺したる者は死刑又は無期若くは三年以上の懲役に処す』とあるのであります。もはや謀殺とか故殺とかいう区別はありません。そうして、軽い場合には懲役三年。それに酌量すべき事情があると認められるときには、酌量減軽に依って一年六月。そうなると、更にそれに対して執行猶予ができるのであります。殺人罪に対して執行猶予が許され得るものと概括的にいうときは、甚しく非常識的なものにも聞えるのでありますので、現に、刑法制定の当時においては、進歩的な刑法学者とせられる人の間にもそういう批判のあったのを見受けたのでありますが、刑法を犯罪人本位に理解することにいたしますときには、それは当然のことでありますので、今日では、そういう裁判があっても、世の中は別に案外なこととは考えないようになっているのであります。

これに対して、窃盗は、第二百三十五条に、十年以下の懲役とあります。それが再犯累犯となりますと、二十年になり得るのであります。それで、刑法制定の当時においては、傘一本、靴一足で懲役二十年かなどと、刑法の専門家の間においてさえ批評をした人があったくらいでありましたが、わたくしとしては、屋外窃盗二月という旧刑法時代の法律に比べて考えて、これは当然の改正と思ったのであります。常習的の犯罪人は、個別的な事件として軽微に見える場合におきましても、刑罰としては十分に重いものたることが当然であります。

それで、刑罰は、犯罪人のそれぞれに対し個別的に定められねばならぬということになるのでありまして、刑法理論は、新たに『刑罰個別主義』として論ぜられることになったのであります。

この刑罰個別主義の一つの重要な適用とせられるものが刑の執行猶予であります。わたくしが、学生として法律学を勉強しました時代には、刑の執行猶予は、尤もらしい制度のようでありつつも、しかし、理論上腑に落ちないところのあるもののように思われましたことであります。それで、兎に角、いわば試験的に、明治三十八年に法律ができまして、或程度のものが実施せられることになりました。しかし、裁判所は甚だ臆病にこれを言渡したのでありましたし、また、司法当局としても、それがあまりしばしば言渡されることのないように仕向けた事実があるのであります。ところが、刑法が明治四十年に新たにせられることになりました際には、それが刑法の中に大っぴらに、規定せられることになりました。これを手短かに申しますれば、初犯者は成るべく刑法から除外するようにということになったのであります。

刑罰個別主義を更に進んで適用しようというのが少年法であります。少年は、これを、できるだけ刑法から除外するというのであります。しかし、固より放って置くのではありませんので、刑に代えて、別に、教育的な特殊の保護処分に付するというのであります。その外に、保護処分ではうまくゆかないというので刑を言渡す場合におきましては、不定期刑に処するということになるのであります。刑の言渡の場合に、例えば一年以上三年以下の懲役に処するというようなことにいたしますので、刑を執行する間にその成績を見て、できるだけ早く釈放するということになるのでありますし、それだけに、その刑罰は、教育的なものにすることになるのであります。

少年は、十四歳になると、刑法上、責任あるものとせられているのであります。刑法第四十一条に、『十四歳に満たざる者の行為は之を罰せず』としてあるのがそれであります。しかし、大正十一年にできました少年法では、十八歳までの者は成るべくこれを刑に処しないことになったのであります。

これが、終戦後、昭和二十三年の新少年法では、それを高めて、満二十歳とすることになりました。最近に、諸国の最近の趨勢におきましては、この少年年齢がなお高く定められつつあるのであります。

イギリスやドイツやの少年法は二十一歳としました。アメリカでは二十二歳、ベルギーでは、二十五歳とするという法律案が、国会で審議せられつつあるのであります。

少年法がわが国に実施せられるようになりましたのについては、二人の先覚者の名を挙げておかねばなりません。その一人は学者としての穂積陳重先生でありまして、その他の一人は社会事業家としての留岡幸助翁（元治元年一八六四―昭和九年一九三四）であります。穂積先生は、アメリカにおける少年裁判所の実際を視察せられまして、われわれ法律家の間に、その制度の精神を鼓吹唱道せられたのでありますし、留岡翁は、夙に社会事業家として不良少年の教化につき実践的に範を示されたばかりでなく、刑罰制度について不定期刑の必要ということを、すでに明治三十年代のはじめに論じて居られるのであります。

少年法は、ヨーロッパでは少年裁判所制度として論ぜられて居ります。法律の名称にそういう言葉が用いられて居るのであります。穂積先生は子供裁判所としてそれを教えてくれられました。

子供を普通の裁判所の手から救い出すという運動が起ったのは十九世紀の末尾のことで、それが法律となりましたのは、一八九九年にシカゴでのことでありました。それで、これは二十世紀の出来事ということになって居ります。まず、少年」には刑を科すべきでない、これを刑務所に送るべきでない、子供は、教育の力に依ってその悪から救い出すことができるのであるし、又、そうせねばならぬものである、とせられたのであります。かくして、普通の裁判所とは別に、子供裁判所とせられるものが設立せられたわけになります。この運動がヨーロッパに伝わりまして、フランスでも、ドイツでも、はじめ、実務上少年裁判を一般の刑事裁判から区別して、実験を試みました。一九一一年にパリーで第一回国際少年裁判所会議が開かれましたのち、一九一二年にフランスの少年裁判所法ができました。ベルギーの法律が、やはり同年に、しかしやや先立ってできて居ります。ドイツではおくれて、漸くに、一九二三年の法律になって居ります。その間において、わが国の少年法は、その前年の一九二二年のものであります。フランスでは、現在のものは一九四五年の法律でありますし、ドイツでは、最近に、一九五三年に全面的な改正を施して、新少年法としました。わが新少年法は一九四八年（昭和二十三年）のものであります。

少年法は、刑罰個別主義の適用として、少年はこれを一般の刑法から除外すると共に、少年に対する特別のいわば一種の刑法を作ったものになるわけであります。すなわち、少年法は、刑法に対し、三種の点について特別化を明かにしているものということになるのであります。

その一は、裁判所の特別化であります。少年を取り扱うのには、特別な知識と技能とを必要とするわけでありますので、少年裁判所乃至少年裁判官は、一般の裁判所とは別なものにせねばならぬということになるのであります。わが少年法では、曾ては少年審判所がやり、今日では家庭裁判所が少年裁判をやるのであります。

その次に来るのは、手続の特別化であります。一般の刑事訴訟では、手続が、検察官と被告人側との争いの形式になって居ります。しかし、少年裁判においては、少年裁判官が不良少年と親しく懇談するという方法で、その少年と共に憤り、その少年と共に泣く、という態度乃至手続に依りつつ、科学的に個人調査及び社会調査が取り運ばれることになります。ここに調査官が裁判官を補助しますので、それは、警察とは全く別のものになって居るのであります。

最後には処遇の特別化であります。少年に対しては、刑法上いわゆる責任能力者、すなわち、処罰について一人前の者とせられる者であっても、これに刑法上の処置をしないのでありまして、すなわち刑を科することにはならないのであります。少年犯罪者に対しては、専ら、保護教育の方法を以ってこれを取扱おうということになるのであります。

さて、従来は、右の少年年齢が十八歳とせられていたのでありますが、終戦後は二十歳とせられることになりました。そうして、上に申し述べましたように、世界的の趨勢からいえば、これが二十一歳二十二歳とせられようということになって居るのでありますし、現にドイツの新少年法がそうなって居り、アメリカの連邦法がまたそうなって居り、なお、一九四八年のイギリスの刑事裁判法でも、そうなっていること、上に申し上げました。ベルギーの法律案には、これも上に述べましたように、二十五歳とせられていますのですが、この二十五歳説というのが、国際会議においては大に論ぜられて居るのであります。さて、犯罪人の大部分が青少年であり、そうして、青少年犯罪の問題が戦後特に世界を通じてやかましく論ぜられている間におきまして、趨勢は右の如くになって居るのでありまず。少年法は刑法に対して特別法たるものではありますが、その特別化が、実際においては、今や逆転して、むしろ原則化しようとする趨勢にさえ在るのであります。

しかのみならず、少年に対して刑を言渡さねばならぬとせられる場合においては、不定期刑が言渡されるのであります。不定期刑は、アメリカで、少年犯罪人のために案出せられた教育的刑罰でありまず。ブロックウェーという人がこれをはじめたのでありますが、上に一言しました留岡幸助翁はブロックウェーと懇意であられたのであります。不定期刑ということは、その名称が、ヨーロッパの人々にとっては不愉快なひびきを有って居るのであります。それは、刑ということにつき、懲罰として害悪乃至苦痛を加えるという考え方が予定せられて居るからであります。しかし、アメリカにおいて、少年犯罪人のために案出せられました不定期刑という制度は、刑を以って、懲罰的な害悪とはしませんので、これを一種の教育方法と見るのであります。それで、あらかじめ刑期を一定するというような無理をしないで、実際の成績に従い適宜釈放するということになるのであります。かくして、そこに実際上の効果が期待せられることになるというのであります。アメリカにおける実際の成績を理解するにつれて、今日では、ヨーロッパの人々も、不定期刑ということについての理解を新たにすることになりました。ドイツ少年法の如きは、やはり不定期刑を規定して居るのであります。

わたくしは、特に理論的に刑法を研究して居る者でありますが、その理論的な立場から一種の興味を有って居りますのは、丁度調停法が一種の反逆的性質を有って居りますように、少年法も、亦、従来の刑法、刑事訴訟法及び刑事裁判官に対する反逆性のものであるということであります。反逆性のものというのは、おだやかな言い方ではありませんが、自然法の闘争性の一つの現われということになるのであります。従来の制度を真向から直ちに破壊しようとするものではありません。それは、単に例外法特別法の形式に依って、われわれの法律生活の間に、やわらかに、極めて謙虚にはいり込むのであります。しかし、その実際の成果を収めるのにつれまして、漸次、徐ろに、その境地を広めてゆくのであります。調停法が借地借家調停法からはじまって全民事関係に及びましたように、少年法は、少年年齢が漸次引き上げられることに因って、犯罪の特に憂慮すべきものが少年法に依って支配せられることになるのであります。少年法は、国家が、少年犯罪人に対し、いかめしい閻魔顔をして立ち向かうのでなく、地蔵さまのようにおだやかに、わたくしの言葉を以ってしますれば、信義誠実の原則に依って、親切に行動することになるのであります。

かくして、法律文化においては、民事においても、刑事においても、漸次、信義誠実の原則が滲み込んでゆくのであります。わたくしの立場から申しますと、そこに自然法の進化ということが見られるのであります。

第七話　非常時立法の発展

大正期については、立法についても、また判例についても、なおいろいろお耳に入れたいものがあるのでありますが、米騒動も、ヴェルサイユの条約も、関東大震災も、ワシントン条約も、もう、とうに昔のことではないか、と若い人々からいわれることになりました。それで、今日は、おもい切って昭和時代にはいります。それは、まず、昭和二年の恐慌、それからロンドンの海軍条約の年（昭和五年、一九三〇年）満洲事変の年（昭和六年、一九三一年）、国際連盟脱退の年（昭和八年、一九三三年）を経て、昭和十二年（一九三七年）蘆溝橋事件の年という順序になります。昭和十二年から昭和二十年まで、一九三七年から一九四五年までが非常時ということになります。それで、今夕のおはなしは、『非常時立法の発展』ということに御承知をおねがいいたします。非常時がその深刻さを進めるに従って、法律がまた一種の変遷を示しました。わたくしは、そこに一種の発展を認め採ろうというのであります。いわばその深刻さにおける暗さの間に、一種の明るさを考えたいとおもうのであります。

まず、昭和元年から昭和十二年までを、仮に前非常時期といたしましょう。この時期におきましては、立法として、二つのものが特に気づかれます。その一は、昭和三年の治安維持法の改正でありますし、その二は、昭和六年の重要産業統制法であります。治安維持法は、大正十二年の関東大震火災の折、そのさわぎのさなかにおいて、治安維持令という緊急勅令のできましたのがはじまりでありま す。それが、大正十四年に法律になりましたが、更に昭和三年に改正になりまして、いよいよ思想の取締が厳重になったということになりました末、それが、また更に、非常時にはいって、昭和十六年に、新治安維持法になりました。

昭和六年の重要産業統制法は、大正の後期にはじまりました不況時代から、昭和にはいりまして、直ちに昭和二年の恐慌に出会いましたわが国が、産業の合理化ということを考えねばならぬことになったことを示したものでありました。昭和五年に金の輸出が一時解禁になりましたが、翌年には、やはり、もとの如くに禁止せられることになりまして、経済上の自由ということは、もはや許されないことになったのであります。

この二つの法律は、前非常時期のものとして、いわば、風雨来らんとして風まさに楼に満つるものがあることを示したのであったわけであります。

しかし、また、その間におきまして、文化的な意義の豊かないろいろの法律ができたのであります。それ等の法律は、形式がむしろ小さなものでありますので、世の注意をさまで引かなかったかにおもわれるのでありますが、思想的に法律の動きを考えることを仕事といたしていまするわたくし共の立場からは、重要な意義のものであるのであります。その一例を申しますれば、例えば、昭和四年の国宝保存法がそうでありますし、また、おなじく昭和四年の救護法がそれであります。

国宝保存法は、明治三十年の古社寺保存法に代ったものであります。古社寺保存法は、その名称の示しますが如く、古社寺の建物と宝物類とを保存する趣旨のものでありましたが、それを拡げまして、国宝保存法は、広く国宝一般にわたり、その所有者の公私如何にかかわらず、その所有権に対し、それがいかに文化財として国家的社会的義務を負担するものであるかを規定するに至ったものでありま す。わたくしから申しますれば、私有財産制度の最も典型的なものである所有権が、国宝という性格を有っているという一角から考えなおされることになったものということができましょう。今日の考え方では、ひとりいわゆる国宝ばかりでなく、すべての所有権が、単にその所有者の利益の立場においてのみ考えらるべきものではないのでありまして、ワイマール憲法の規定しました如くに、所有権は義務を伴うものとして考えらるべきものということになりましょう。それで、法律としてはむしろ小さなものたる国宝保存法において、新らしい所有権観念という大きな氷山の一角がその頭をもたげたということになります。国宝保存法は、国宝の所有者に対し、その所有権を没収しようなどというのではありません。ただその所有者をして真に国宝の所有者たるに値いするように在らしめるものということになります。この法律は、今日では、昭和二十五年の文化財保護法になって居ります。

次に、救護法は、貧困のために生活に困難を感じつつある者に対し、国家乃至公共団体が救助を為すの義務を負うことを規定しただけのものであります。貧乏は、甚だ多くの場合において、貧乏人その者の過失に因るものとはいい得ないところがあるのであります。また、それが貧乏人の過失に因る場合におきましても、それをそのままに身から出た錆と放り出しておきますのでは、国家乃至社会全体に対し、結局においてどんな迷惑をもたらすことになるかわかりません。かようにいたしまして、今日では、国家乃至公共団体は、不幸な者に対し救護を為すの義務があるものとせられるに至っているのであります。国家乃至公共団体は、単に慈悲慈恵として任意に救護をするというのでありません。国家乃至公共団体は法律上の義務としてその救護を完うせねばならぬ、ということになるのであります。それで、今日では、不幸な者が、国家に対し、『救護を求める権利』を有っている、ということさえが学問上説かれているのであります。なお、右の救護権という語と共に労働権というのがあります。それは、われわれは、国家に対し、労働を為す機会の与えられるよう請求する権利がある、という考え方に基づくのであります。共に、用語としては、何かおだやかでないものがあるかにも見えますので、従来は、むしろ喜ばれなかったところでありますが、しかし、今日では日本国憲法第二十五条に規定せられる『健康で文化的な最低限度の生活』の権利ということが広く認められるに至ったのでありまして、すべてそれに包含せられるのであります。国家は、今、直ちに、すべての人に対して『健康で文化的な最低限度の生活』を保障することができるのでありません。しかし、憲法第二十五条第二項が、右の規定を承けて規定していますように、国は社会保障のために十分の努力をする憲法上の義務があるのであります。そうして、われわれは、国家をしてこの義務を完うせしめるために選挙権を行うのであります。

救護権とか労働権とかいう語と共に、また、別に、懶惰権という言葉があります。これは、おなじく社会主義の学者の方面から用い出されたところでありまして、すなわち、今日の世の中では、所有権は、所有者が、それに由って、働かないで懶惰に暮らしてもゆかれる権利になっているというのであります。これは、所有権に対して悪口をいったことになります。今日では、右に述べましたように『所有権は義務を伴う』という原則が所有権不可侵の原則に代りましたので、懶惰権ということは、もはや許されないことになったわけであります。そこで、救護権というのも、貧乏人の懶惰権を認める趣旨のものではありません。貧乏人の救護権はまず労働権として主張せられますので、不幸にも真に労働することのできない者に対して、生活保護の手が延べられるわけになるのであります。そのためには、社会保障制度として、社会保険制度をはじめいろいろの技術的な仕組が考慮せられねばならぬことになるのであります。バタか大砲かといわれるバタの問題がそれであります。

理論的なかような小むづかしいことは、暫くおあずかりをねがいまして、昭和期のはじめに、大審院の与えた小さな判例二つのことを申し上げて見たいとおもいます。その一は、内縁関係についてのものでありますし、その二は、薬剤師の電話処方に関する事件と称せられるものであります。

内縁関係の事件と申しますのは、さきに貞操蹂躙事件乃至婚姻予約事件のものとして申し上げました大正四年の判例を展開したものになるのであります。甲乙両人の者が、事実上の婚姻をして、同棲して居りました。遠からず届出をしようということになっていた矢先でありましたが、まことに不幸にも、甲男が、電車の交通事故で死亡しました。その時、乙女は懐胎していましたのですが、気の毒にも、その子丙は私生子として届出でられるの外ないことになりました。今日では私生子という言葉は避けられますので、嫡出でない子ということになって居ります。それはそれとして、しかし、若し甲が生存していたのでありますならば、その子は当然嫡出子としてその父親の愛撫教養を受けるべきであったというので、その電車会社に対し損害賠償の請求をすることになりました。第一審も、第二審も、その請求を容れなかったのでありましたが、大審院は、その請求を認めました。昭和七年十月六日の判決であります。判決が説明して申しますのに、曰く、『丙は、少なくとも甲の収入に因り生計を維持することを得べかりし者にして、丙は、甲の死亡に因り、その利益を喪失したる者といふを得べし。而して、民法第七百九条に依る損害賠償は、厳密なる意味に於ては権利といふを得ざるも、法律上保護せらるべき利益に該るものの侵害あり、その侵害に対し不法行為に基く救済を与ふるを正当とすべき場合においては、これを請求することを得るものにして、丙が甲の生存に因り有したる右利益は、民法第七百九条に依り保護を受くべき利益なりと認むるを相当とするのみならず、他人を傷害したる場合に於て、その者に妻子或は之と同視すべき関係に在る者の存し、如上行為の結果、これ等の者の利益を侵害すべきことあるは、当然これを予想すべきものなるを以て、本件に於て被上告人（電車会社）は、その被用者が甲を傷害したるため上告人丙の利益を侵害したるに因り上告人の被るべき損害を賠償すべき義務あること、多言を要せずして明かなり』と。多言を要せずといいつつ、相当に紆余曲折を示した判決になって居るのであります。

次に、電話処方事件と申しますのは、薬剤師法違反事件という刑事事件についてのものであります。薬剤師法は、今日では、終戦後、薬事法という法律になって居りますが、それに依りますと、薬剤師は、医師の処方箋——法律では、医師が自己の氏名を自記し又は調印した処方箋とあるのでありますーーその処方箋に依って調剤すべきものになって居るのでありますが、事件では、被告人たる甲薬剤師が、右の規定を守りませんで、乙医師の電話処方に依って調剤した、というのでありました。その乙医師は、患者たる丙を診察いたしまして、これは、急速に投薬する必要があると考え、電話で処方をその甲薬剤師に通告して調剤せしめたというのでありました。薬剤師は念のためその電話を聞きなおし、十分にたしかめた上調剤したというのでありましたが、法律の規定には違反して居るというので、起訴せられました。下級裁判所は有罪の言渡をしたのでありましたが、被告人は上告をしました。そこで、大審院は無罪の言渡をしたのであります。曰く、『電話に依る処方調剤は、往往にして過誤を生じ易きものなるが故に、之を避け得べき特別の事情存するに非ざれば須らく責任を確実にすべき処方箋に依ることを要すべく、又、たとひ電話に依る処方調剤が精密なる条件の下に過誤を避くるに十分なる注意を用ふることを得る場合なるにもせよ、治療上急速を貴ぶ場合に非ざれば、容易に（この規定の）解釈を拡張すべきものに非ざること明白なりと雖も、本件の如き事情の存する場合に在りては、医師の処方箋に依りて調剤したるものと之を同視するを以て、社会通念上及び人情道義上、妥当なりとすべきのみならず、云云』と、かようにいって居るのであります。これは、社会の通念と人情道義との上から、電話処方を処方箋と同視したことになるのでありまして、論理的には無理があるともいえましょう。すなわち、純正な法律論としましては、かく電話処方と処方箋とを同視するものとした点には批判を施すべき余地があり得るものと考えられるのでありますが、事が人命を救助するの急に迫られている場合におきまして、かく電話処方に依ることは、法規違反にはならないものとしたのであります。判決は、法律の規定を十分尊重せねばならぬとしつつも、別に、それに対して、社会通念に依る按排調節ということを考えたのであります。

当時、時勢の急はよほど迫って来ていましたので、政治上の権力主義は漸次露骨になっていたのでありましたが、大審院は、悪法も法なりとはしないで、法律の運用につき、かような態度を保持したのであります。なお、外に右に類するいろいろの判例があるのでありますが、それは省略のことに御承知をねがいまして、昭和十二年からの非常時の立法の変遷を考えることにいたしましょう。

非常時立法の特色は統制主義に在ったわけであります。従来の民法における自由主義が全く一変しまして、すべてがいわゆる転換期にはいったものとせられたのであります。

固より、政治的に及び経済的に大きな変動があったのでありまして、これを法律的に申しますと、一方には治安維持法がいよいよ強化せられて弾圧が一層を加えたことになったのでありますし、他方には、産業統制法が常に強力に適用せられることになったのでありました。われわれの実生活に対しては、いうまでもなく大きな変動があったのであります。

しかし、わたくしとしては、別に、わたくしが、法律の進化の要点を法律の社会化ということに求めまする立場から考えまして、非常時立法の発展は、当時世に広く転換と称せられましたけれども、そうやかましく『転換』というようにいうべきものではなくして、やはり、それは、むしろすなおに『発展』と解せらるべきものであったと信ずるのであります。明治から大正へわたる法律の発展として考えらるべきものが、非常時法における統制政策についても、おなじように考えられるのであります。すなわち、その統制政策に三種のものがあるのであります。

その一は、わたくしが『物の統制』としているものであります。昭和十二年に、その日華事変の勃発につれまして、早速に、二種の法律ができました。臨時資金調整法と輸出入品等臨時措置法とでありますす。資金調整法は貨幣を統制しようとしたものでありますし、輸出入品等臨時措置法は物資を統制しようとしたものであります。この両つの法律は、共に、臨時法とせられるものでありました。物資の統制ということは、民法における契約の自由に対し重大な制限を加えたものでありましたし、貨幣の統制というのは、貨幣法に依る通貨の機能に対し、これ、亦、根本的な圧力を加えようとすることになったものであります。事物の性質として最も自由なものたる貨幣に対しまして、それを抑圧しようとした法律であります。一体、戦争をはじめる者は、戦争がすぐ終ると考えるものである、ということを歴史家がいって居りますが、まさしく、この両つの法律を臨時法として制定したのは、そういう次第のものでもあったかに考えられる次第であります。

翌昭和十三年に至りまして、統制は、更に『人の統制』に向って拡張せられることになりました。それは、国家総動員法がまずそれでありますし、次に、農地調整法が、またそれであります。そこで、政府は、はじめ、いわゆる物の統制におきましては、制限、禁止その他必要な措置というように、物に対して圧力を加えることを考えたのでありますが、次に、人の統制ということになりますと、大分趣を異にせねばなりませんでした。国家総動員法は、『人的資源及び物的資源を統制運用する』ことを目的とするといって居ります。統制運用とありますので、制限禁止というのとは大分様子がちがいます。そうして、農地調整法に至りましては、『農地の所有者及び耕作者の地位の安定』を目的とするものとするということになりました。それに、両法共に、もはや臨時法ではなくして恒常法になりました。国家総動員法の方は固より戦時法でありますが、農地調整法に至りましては、これは更に平時法であったのであります。この法律は、小作法案としてすでに永い年月の間懸案となっていましたところを解決いたしたもので、土地法として、農村法として、物権及び債権の関係上、民法に対し重要な変更乃至除外例を設けたものでありました。それが、実に、いわば非常時なればこそ、しかく一挙にしてできたというわけになるのであります。この農地調整法は、終戦後に至って、全く面目を改め、性格を一新することになりました。すなわち、それに依って、農地改革が断行せられたのであります。この法律は、今日では、昭和二十七年の農地法となって居ります。

更に、翌十四年になりまして、統制は、『社会の統制』ということになりました。それは、まず、人事調停法でありますし、次に、司法保護事業法でありますし、更に、鉱害賠償法であります。これ等の法律は、恒常法であるばかりでなく、また、実に、平時法であります。人事調停法に就いて申しますと、『道義に本づき温情を以て』『家族親族間の紛争其の他家庭に関する事件』を処理するのでありましで、そのような法律ができますのには、実に、非常時を待たねばならなかったのであります。次に、釈放者の保護事業を、司法保護事業として、国家が積極的に促進―指導―助成することが、また、非常時を待たねばならなかったところなのであります。若し夫れ、鉱毒事件と申しますのは、すでに民法実施以前から、そうして、民法実施の当時において、特に足尾銅山に関し、田中正造翁が喫緊の人道問題として世に叫ばれたところでありまして、いわゆる渡良瀬川事件なるものが世の中をさわがしたのは明治三十四年のことでありました。それから、年を数えること四十年に近く、非常時に至って、はじめて、鉱山の持主は、その鉱山を経営するというだけで、当然に、自己に手おち過失のないところにも、鉱毒の被害者に対し、損害賠償の義務を負うものとせられるに至ったのであります。これは、所有権は義務を伴うという原則の一つの適用でありまして、鉱山の企業は、利益を一億円揚げたといたしても、鉱毒に因る損害を差し引かねば、それが国家乃至社会に貢献したネットな利益とはならないはずでありまして、ここに無過失責任の原則ということが考えられるわけになるのでありま す。それに、この鉱害賠償法は、事件は民事訴訟法に依って解決せらるべきではなく、調停の手続に依るべきものとせられて居るのであります。

非常時法の発展の最後は、かくの如き社会的な平時法に帰着しなければならなかったのでありまして、そこに、非常時法の発展における一種の皮肉が見受けられるとも言い得るのであります。

第八話　日本国憲法

非常時立法の発展として前回に申し上げましたところを、若し、幸に、わたくしの理解した如くに考えることが許されるのであるとしますれば、そこには、今日からふりかえって見て、当時の政治がいかに批判せらるべきものであったにいたしましても、法律の進化においては、やはり、文化的なものが、わたくしのいわゆる自然法の進化として進捗していたわけになるのであります。わたくしは、かような立場から、われわれの新憲法すなわち日本国憲法について考えて見たいとおもいます。それで、今夕のおはなしの標題は、『日本国憲法』ということに御承知ねがいます。

日本国憲法は、基本的人権ということについてのわれわれの自覚を新たならしめましたわけでありますしかし、わたくしといたしましては、人権という観念は、すでに、旧憲法、すなわち大日本帝国憲法においても、法律上は明かにせられていたものと考えるのであります。わたくしは、更に遡って、明治元年三月十四日の五箇条の御誓文の中にそれがすでに説かれていることをも考えるのでありますしかし、非常時の政治は、われわれの人権をあまりにも統制の下に置いたことになりますので、われわれは、おのずからこれに対して反撥せざるを得ないことになりました。それで、憲法が新たにせられましたのにつれて、まず、民主主義ということが唱えられることになりましたし、それにつづいて、基本的人権ということがやかましく論ぜられることになりました。

さて、旧憲法における基本的人権の規定――それは『臣民権利義務』として規定せられて居りました――には二つのものが特に気づかれるのであります。その一は、国民の人権は法律に依るのでなければこれを制限することが許されないとせられている点であります。法律というのは、帝国議会すなわち国会の制定するところの法律をいうのであります。それで、人権の制限は、国民の代表者として選挙せられた人々の承認するところに依ってのみできるということになるのであります。その二は、国民の人権は、ただかように制限してはならない侵害してはならないというだけになっている点であります。国民は本来自由な者として活動ができるはずでありますので、憲法はこれを保障するというのであります。そうして、国家は、国民の人権に対し、消極的に、これを制限しない、侵害しない、というだけのことに止まりますので、国家が、人権の実体を充実するように、積極的に、世話をする、保護をする、ということは、そこには、いわば何ものも規定せられていないのであります。

これは、三つの原則に現われて居るものと考えます。その一は、平等の原則で、旧憲法では、第十九条に、任官の平等権という形式において規定せられて居ります。その二は、所有権の絶対性の原則で、旧憲法の第二十七条には、『日本臣民は其の所有権を侵さるることなし』となって居ります。そうして、その三は、いわゆる罪刑法定主義で、旧憲法の第二十三条は、『日本臣民は法律に依るに非ずして逮捕、監禁、審問、処罰を受くることなし』とせられて居るのであります。さて、非常時の政治は、これ等の人権を甚しく蹂躙したものとせられるのでありますが、それが、或は治安維持法に依り、或は産業統制法に依るのであった範囲におきましては、その法律は、いずれも帝国議会の制定したもの、その当時の用語に依りますれば議会の協賛に依ってできたものであるのであります。

かような三種の原則は、すでに述べましたように、一七八九年のフランス大革命の時にできましたフランス人権宣言から来ているものでありまして、十九世紀における世界の諸国の憲法は、いずれもこれに倣ったものになっているのであります。フランスの人権宣言というのは、実に、右の如く、フランス大革命の時にできたものであります。その第一条に自由平等の原則が、その第八条に罪刑法定主義が、そうしてその第十七条に所有権の絶対性の原則が規定してあるのであります。そこには、所有権は侵すべからざる神聖の権利であるとまで宣言してあるのであります。

これは、血なまぐさいフランス革命が、いかに、それ以前の封建的社会制度に対する反撥として起ったものであるかを物語るものであります。そうして、この三種の原則の下に、ナポレオンの民法刑法ができました。それが、十九世紀の模範法典とせられましたことは、これもすでに申し上げました如くであります。所有権と契約の自由との原則に依って民法ができましたし、罪刑均衡の原則に依って刑法ができました。かくして、そこに十九世紀の文化が成立したことになるのであります。

法律文化は、いわば、ナポレオンの斯かる民法刑法の下に、十九世紀の百年の間つづいたということになります。政治上のことをさし措いて、法律だけで申しますれば、百年の泰平がつづいたのであります。しかし、ナポレオンの民法及び刑法は、そのままに固定していたわけではありません。毎々申し上げますように、十九世紀の繁栄は、その光明の反面に社会問題という暗い陰を伴わざるを得なかったのでありまして、世の中は、おのずから、フランス革命乃至ナポレオンの民法刑法に示されました原則に対し、反撥、反抗、当今はやりの言葉で申しますればレジスタンスをせねばならなくなったのであります。かくして、フランス民法及びフランス刑法は、甚だしばしば部分的な修正を受けることになったのであります。その民法及び刑法は、ナポレオンの制定した形式のままに今日もフランスの現行法になっているのではありますが、幾多の修正に依って、いわば満身創痍、やや語を強めて申しますれば、旧態を止めないものといってもいいのであります。

十九世紀の最後の年に至りまして、ドイツ民法が実施せられました。これが、ナポレオン法典に代って、二十世紀の法律文化のために模範を示したものということになって居ります。わが民法も亦大にこれに依って居るものでありますことは、前に申し上げました。学者は、この法典を目して、契約の自由の上に更に正義の原則の在ることを予定したものであるといって居るのであります。ドイツ民法の現にしばしば用いている言葉に依りますと、その正義というのは、すなわち、善良の風俗であり、また、信義誠実の原則であることになるのであります。

とうとう、一九一四年に第一次世界戦争がはじまりました。それが五年間つづきました。そこで、わが国では、いわゆる好況時代の末の米騒動の年になって休戦、翌年の大正八年すなわち一九一九年が、ヴェルサイユ条約の年、ワイマール憲法の年ということになります。

ヴェルサイユ条約の中には、『労働は商品に非ず』という規定が設けられることになりました。これは、平和条約としては甚しく異例であり、意想外であるところであったとせねばなりません。十九世紀の法律文化におきましては全く想い到られないところであったわけであります。しかし、それだけに、それは、また、二十世紀の法律文化のために、特色を示したことになるのであります。

ワイマール憲法と申しますのは、申すまでもなくドイツ帝国がドイツ共和国になったその共和国のための新憲法であります。わが国の旧憲法は、ドイツの、特にプロイセンの憲法をお手本にしたところが多いとせられるのでありますし、わたくし共は、憲法論については特にドイツの学者の所説から学んだものが多いのでありました。しかし、そのドイツにおいて、憲法が全く面目を一新することになったのであります。それを、それから百年あまり前のフランスの人権宣言に比べて考えて見ることにいたしましょう。

その一は、『人たるに値いする生活』の原則であります。経済生活の秩序は、すなわちわれわれの暮らし向きのことは、人たるに値いする生活を国民の各自に保障するということが原則でなければならない、というのであります。この『人たるに値いする生活』という言葉は、本来、ドイツの哲学者の用いたところであるということであります。むずかしい言い廻しかとおもうのでありますが、五箇条の御誓文の第三条には、『官武一途庶民に至るまで各其の志を遂げ人心をして倦まざらしめんことを要す』とあるのが、まさにそれになるわけのものではありますまいか。日本国憲法では、『健康で文化的な最低限度の生活』ということが第二十五条に見えて居ります。そうして、別に、『人たるに値いする生活』という言葉は、労働基準法第一条に用いられて居ります。自由平等の原則はこれを捨てるのでありませんが、自由平等だけでいわゆる野放しにするのではないのでありまして、国家は、進んで、すべての人に対し、人たるに値いする生活を保障するように、世話をする保護するということになるのであります。

その二は、『所有権は義務を伴う』、義務を背負うている、というのであります。所有権は固より社会制度における基本的なものであるということにちがいありません。しかし、それは、単純な権利として所有者の勝手にふりまわさるべきものではないのでありまして、権利であると同時に義務を背負わされているものである、というのであります。昔、封建制の下に、貴族は勝手なことをやったとせられるのでありますが、しかし、その当時に『貴族は義務を背負うている』という言葉があったのであります。これを、ドイツの学者が――それは、憲法学者であったブルンチュリーで、その人の学説は、明治期のはじめにおいて、わが国に大きな影響を及ぼしたものであります――『所有権は義務を伴う』と言い換えたというのであります。所有権は十分尊重せられるのでありますが、しかし、その所有権はいわゆる懶惰権にまで堕落してはならないのでありまして、やはり、自分のためであると共に、人のため、世のためになるように利用せられねばならぬのであります。日本国憲法では、第二十九条に、私有財産権不可侵の原則を掲げると共に、『財産権の内容は、公共の福祉に適合するやうに、法律でこれを定める』としてあります。所有権に関する民法第二百六条の規定は、依然として、『所有者は法令の制限内に於て自由に其所有物の使用、収益及び処分を為す権利を有す』とあるままになっているのでありますけれども、これは、憲法の規定に依っておのずから制限を受けることになるわけのものであります。

最後に、その三は、『労働力は国の特別な保護を受ける』という原則であります。民法上の問題といたしましては、労働乃至雇用のことは、これをフランス民法の制定当時に就いて申しますれば、固より憲法などの干渉を受ける筋合のものではありませんので、専ら当事者間の契約の自由に依って取り極めらるべきものになっていたのであります。しかし、それでは、労働は一種の商品として売買せられるということになるの外ないのであります。これに対し、二十世紀の憲法におきましては、国家は、労働を以って、憲法上保護せらるべきものといたし、これを当事者間の契約に放任しないで、積極的に、これに対して干渉することにせねばならぬことになったのであります。日本国憲法で申しますれば、第二十七条で勤労の権利及び義務のことが規定せられて居りますし、第二十八条で団結権のことが規定せられて居ります。かくして、ストライキということが今日では権利として許されることになったとせられるのであります。ストライキ権というような言葉は、耳に聞いて快いひびきを有っているものとはいえますまい。しかし、労働力を国家的に保護することになりますと、これは当然に認めねばならぬところとなるわけのものになるのであります。所有権が濫用せられてはなりませぬように、ストライキ権も、亦、固よりのこととして、濫用せられてはなりません。所有権が濫用せられますと、それだけ所有権が無駄になるわけでありまして、折角多くの人たちの骨折、その労働の結晶として成立するに至りました物質乃至財産が、社会的には効果を発生しないものになってしまうわけになりますので、これは、所有者の勝手のものというわけにはまいらぬはずであるのとおなじく、ストライキ権も亦濫用せられてはなりません。ストライキ権が濫用せられることになりますと、所有権の結晶たる工場、すなわち、産業企業が破壊せられるわけになります。それで、権利の濫用は、民法新第一条第三項において規定せられることになりましたように、固く禁止せられねばならぬところでありますが、しかし、また、その所有権が尊重せられますと共に、ストライキ権も、おなじく尊重せられねばならぬのであります。

右のように、フランスの人権宣言に比較しましてワイマール憲法の人権規定を考えますと、それは、また、同時に、十九世紀の憲法乃至全法律文化と二十世紀のそれとを比較いたしたことになるわけでありまず。十九世紀の憲法におきましては、国家の権力は憲法に依って制限せられるだけといっていいでしょう。実生活の経営そのものは国民の個人各自の努力すなわち自由競争に放任せられたわけであります。封建制度から解放せられた人々は、かような自由主義すなわち自由競争主義で満足であったにちがいありません。しかし、その満足したままにいい気になって居りますと、その陰に、社会問題が起って来て、われわれの生活をむしばむことになって来たのであります。それで、今日では、十九世紀の自由主義から解放せられねばならぬということになったのであります。二十世紀の法律文化におきましては、国家は、自由主義を超えた新らしい主義、われわれはそれを文化主義と申すのでありますが、その文化主義に依って、国民のそれぞれに対し、その人たるに値いする生活のために、憲法第二十五条第二項の言葉に依りますと、社会福祉、社会保障及び公衆衛生の向上及び増進に努めなければならぬことになっているのであります。

日本国憲法は、基本的人権について三種の原則を掲げて居ります。その一は、人権享有の原則として、第十一条に規定するところであります。『国民は、すべての基本的人権の享有を妨げられない。この憲法が国民に保障する基本的人権は、侵すことのできない永久の権利として、現在及び将来の国民に与へられる』。読んで字の如く、むしろ平凡なことのようにも思われますので、要するに、すべての国民に対して普く平等に人格を承認する旨を言明しただけのものであります。しかし、これについては、曾て、五箇条の御誓文の第四条に、『旧来の陋習を破り天地の公道に基くべし』とあるのを想い出す次第であります。まさしく自然法の原則であります。ギリシャ・ローマの自然法は奴隷を承認していましたし、アメリカ合衆国も、亦、その憲法の自然法的色彩にもかかわらず、奴隷制度の廃止には、リンカーンの英断と、南北戦争とを、一八六五年まで待たねばならなかったのでありました。自然法はやはり進化するものであります。そうして、その進化として、わたくしは、更に、人権に関する第二第三の原則を考えねばならぬのであります。

その第二の原則は、次の第十二条に規定せられる人権利用の原則であります。曰く、『この憲法が国民に保障する自由及び権利は、国民の不断の努力によって、これを保持しなければならない。又、国民は、これを濫用してはならないのであって、常に公共の福祉のためにこれを利用する責任を負ふ』と。ひとり所有権だけが義務を背負って居るばかりではありません。その他の権利も、すべて、義務を背負うて居るのであります。権利は、いかなる権利といえども懶惰権に堕落してはならないのでありまして、権利者である以上は、常にその権利を遊ばせないで、これを利用せねばならぬのであります。しかも、この利用は、公共の福祉のためになるようにせられねばならぬのであります。かような意義において、権利の上に眠って過ごすことは、もはや、許されないことになるのであります。

そこで、第三の原則になります。これは人権保護の原則でありまして、その次の第十三条がこれを規定して居ります。曰く、『すべて国民は、個人として尊重される。生命、自由及び幸福追求に対する国民の権利については、公共の福祉に反しない限り、立法その他の国政の上で、最大の尊重を必要とする』と。国民は、一方においてその権利を利用する義務を負うのでありますが、それについて、他方、国家から、『最大の尊重』を以って保護を受けることになるのであります。国家は、国民に対し、制限しない、侵害しない、すなわち単にこれを敬して遠ざけるというのであってはなりません。国家は、これを敬するの故を以って、十分の世話をし、十分の保護を与えるのであります。各種の政策、とりわけて社会政策がそれになるのであります。重ねて憲法第二十五条第二項を挙げますれば、国は、『社会福祉、社会保障及び公衆衛生の向上及び増進に努め』るものとしているのがそれになるわけであります。

十九世紀の国家理論におきましては、国家は主権を有って居るものとせられ、その主権は、理論上絶対万能のものであるとせられつつも、法律上は、憲法に依って、人権のために制限を受けるものであるとせられました。しかし、今日の考え方では、国は、社会福祉、社会保障及び公衆衛生のために『努め』なければならないものとせられるのであります。主権ということは依然憲法にうたってあります。『主権の存する日本国民』とせられて居るのでもありますが、この主権は、絶対のものとも万能のものとも、そういう点は規定せられないのであります。却って、しかく国家的社会的政策のために『努めなければならない』ものとせられているのであります。国家は、憲法に依って、人権のために大にはたらかねばならぬという義務の主体、責任の主体になっているのであります。すなわち、日本国憲法に依りますと、国家の主権は義務を伴う、とでもいうものになっているのであります。

国家がかように積極的に人権のためにはたらくということを、別の言葉で申しますれば『統制』ということになるのであります。『統制』ということは、非常時立法の下における体験として、世上、ややもすれば、これを単に権力的のもの、抑圧的のもの、無理を強いつけるものと解せられることになるのでありますが、しかし、言葉の正しい意味、学問的な意味、社会政策を経営するという意味から申しますれば、この文化的な意味における統制こそが、二十世紀の国家、すなわち、わが日本国憲法の下におけるわれわれの国家の面目になるのであります。それで、その統制は、国家の営む社会的文化的諸政策として、国民の人権のために、賢明に組み立てられねばならぬものであります。国家は固より権力を有って居るのでありますが、その権力が、人権のためにグッド・ウィルすなわち好意を以って、賢明に技術的に行使せられねばなりません。権力と技術と好意との三つのものが、二十世紀の文化国家における三位一体を成すものということになるのであります。この三位一体が、やがて、統制ということに外なりません。

かような意味において申しますれば、わが日本国憲法は、統制の憲法でありまして、従来の意味における自由主義の憲法ではありません。しかし、国民が、自覚をたしかにして、憲法に依りその統制をせねばならぬという意味において、やはり民主主義の憲法であります。その民主主義に依って、国民は、自律的に自己統制を経営せねばならぬのであります。この『自律的』という意義において自由主義ということが考えられるのであります。

第九話　法律における技術と倫理

前回におはなし申し上げました最後のところに、文化国家の理念における三位一体ということを申し述べまして、その三種の要素を数えました上で、その中に技術ということを一言いたしました。法律は、一方において、道徳とは区別して考えねばならぬものとせられるのでありますが、それと共に、やはり、また、道徳の一部であるともせられているのであります。そこで、かような道徳的な倫理的な色彩が法律の本来の面目であります外に、別に、技術的な法律ということが、新たに、一つの問題になるのであります。

民法に属する多くの規定を考えますと、それは、法律であると同時に、また道徳的なものということができましょう。民法は、いわば、盗む勿れという倫理則を所有権として、また、約束を守れというおなじく倫理則を契約の自由として、共にこれを法律としているわけのものであります。しかし、それにいたしましても、所有権についての不動産の登記とか、また、契約についての切符とか切手とかの類で、いわゆる無記名債権、すなわち、証券の持参人が、持参人であるというだけで、当然に権利を主張し得るものになりますと、技術的な性質のものになります。そこで、それが、商法になりますと、われわれが普通に倫理的なものと考えて居りますところのものから大分かけ離れてまいりまして、大に技術的な性格のものになるということになります。会社における株式の関係とか、商取引に利用せられる手形とかの類になりますと、もはや、倫理論では何ともいたし方のないものなのでありまして、これは、専ら技術的なものとして考えられるわけのものであります。

例えば、株式会社における株主の有限責任というようなことは、民法的な考え方においては、おかしいことではないかと考えられます。儲けたときは配当するが、損をしたときは株金として払い込んだだけで逃げられる、というのであります。ずいぶん虫のいいものということにもなりましょう。しかし、かような仕組に依って、株式会社という近代産業の法律的な技術が進められることになったのであります。そこで、産業の発達が人間のため社会のために望ましいことであるとしますならば、株式会社という仕組に存するかような虫のいい一種の組織も、そこに、やはり、技術を超えた倫理的な意義が在るものということができることになりましょう。

技術というものは、そのまま野放しにしておきますと、始末のわるいもの、おそろしいものになります。それで、法律的な技術でも、それを、その技術のままに、いわば盲目的に進めてまいりますと、株式会社の如きは、現代法律文化における『怪物』であるとまでいわれることになっているのであります。大資本、独占資本に依る資本主義というのがそれでありまして、そこで、今度は、それを、再び倫理的に統制する必要が起って来るわけになります。かくして、株式会社における『企業それ自体』の原則ということが考えられることになったのであります。曾て、或ストライキ事件のとき、会社の社長が、従業員の人々に向って、会社は株主の物であると叫んだことがあります。しかし、今日では、株式会社を単に伝統的な所有権の考え方で律することは許されないことになって居るのであります。会社は、株主の出資に依って成立したものではありますが、その運転運営は多数の労働者の手に依らねばならないのであります。労働者は、会社を自分の所有物というわけにゆかないことは勿論であるにしても、自分のものであるということは許されようと考えられるわけになるのであります。この『のもの』ということの本質が、法律学にとって一つの新らしい問題になるのであります。それに、会社には、更に社債権者というものがあります。新聞にしばしば広告してある社債の募集に応じた者は、株主ではありませんが、会社に出資した者であり、これが会社に金を貸した銀行というようなのとは大に趣を異にするものでありますし、場合に依っては、小さな社債権者として、世の中に、多数に分散するのであります。こういう立場の人々も、また、会社に対し重要な利害関係を有つ者として、会社は、その人たちのものでもあるということになりましょう。その外に、会社の事業は、多くの場合に、直接に公衆と関係を有つのであります。会社の経営者が勝手に休業廃業などをするのであってはたまったものでありません。そうすると、一つの会社は、株主のものであり、従業者のものであり、社債権者のものであり、更に公衆のものであるということになるのであります。否、見方に依りますと、会社は、むしろ何人かのものというのでなく、会社の企業そのものとして考えねばならぬ、ということになるのであります。それで、会社という一種の技術的な組織は、今日では、国家から、法律に依って『統制』を受けねばならぬものになって居るのであります。国家は、或場合には会社を取り締ります。また、或場合には会社を保護します。兎に角、会社は、もはや、単に技術的なものたるに止まりませんので、また、更に、実に、社会的な倫理的な性格を有つものとして考えられることになるのであります。会社は、もはや単に金儲けの技術として考えらるべきではありません。それは、産業それ自体、企業それ自体のためにする社会的な仕組みであり、一種の倫理的な技術であることになるのであります。

会社法の類は専ら技術的な法律であるとして、それが倫理関係とは全く別なものであると考えられがちでありますのに対し、刑法は、専ら倫理的な法律であると考えられて居ります。悪いことをすれば罰を受ける、因果応報、自業自得ということは、天地自然の道理、人類普遍の原理であるとして考えられて居るのであります。ところが、最近に至りましては、この倫理的な法律が大に技術的な色彩を有つことになったのであります。刑事政策というのが、経済政策、社会政策というのと共に、われわれの問題になって居るのであります。

刑事政策は、その起原を考えて見ますと、刑は刑なきを期するという古い言葉もありますように古いのでありますが、また、見方に依っては、それが特に刑事政策として意識せられるに至った点において、極めて新らしいこと、十九世紀もむしろ末になってからの新らしいことなのであります。わたくしは、アメリカとしては一八七〇年、ヨーロッパとしては一八七六年というのを出発点として考えて見たいとおもいます。一八七〇年と申しますのは、アメリカの監獄協会が成立して、その原則宣言と称せられる三十七箇条のものが公にせられた年であります。一八七六年と申しますのは、さきに一言いたしましたロンブローゾの著『犯罪人論』が公にせられた年であります。『刑事政策』という学術上の用語の用いられはじめましたのは、一八八〇年代になって、ドイツのリストという先生の主張に依ったのであります。この方は、わたくしが、ベルリン大学で、就いて学んだ先生であります。新らしい刑法理論を組み立てた学者であります。

抑も、刑法の起原は復讐に在るものとせられるのであります。それで、今日でも、刑法は復讐関係を法律として、それを国家的に統制するものであるともせられるのであります。ただ、昔の復讐や下級民族やのそれのようなものでなく、もっと、いわば理屈の整った復讐、倫理的な形のものとなって居る復讐ではありますが、やはり、復讐そのもの、それを理論的に言い換えて、報復乃至応報そのものを本質としたものと考えられて居るのであります。しかし、われわれとしては、その復讐の進化ということを問題として考えたいのであります。復讐の歴史は、復讐が漸次制限せられることの歴史になって居るのでありまして、そうして、おしまいには、復讐がもはや当事者には許されないで、王さまの手に依る復讐、すなわち国家に依る復讐となり、それが更に刑となるのであります。その刑も、はじめは残虐なものでありましたのが、十九世紀になりましては、全く一変しました。一八一〇年のナポレオン刑法では、もはや火あぶりや磔を許しません。懲役、禁錮、すなわち、単に犯罪人の自由を拘束するという自由刑を以って刑の本格的なものと規定することになりました。

しかし、その自由刑といたしましても、はじめは、今日から見れば甚しく残虐性の監獄たるを免れないのでありました。刑罰ということと残虐性ということとは当然相伴うものとせられて来たのであります。しかし、十九世紀の文化が歩を進めますのにつれて、その監獄の改良ということが追々に問題とせられることになりました。日本国憲法では、第三十六条に、『残虐な刑罰は絶対にこれを禁ずる』ということになりました。刑罰は、復讐乃至応報としての害悪を科することになるものでありましょうが、残虐なものであってはならないとせられているのであります。

監獄改良という運動は、イギリスのハワードという人が、すでに十八世紀の末に唱えたところでありますし、また、アメリカでは、お馴染のフランクリンが監獄改良運動についての率先者であります。

しかし、この運動を真に世界的の運動にしたのは、一八七〇年に成立したアメリカの監獄協会でありまして、これが主唱者となって、一八七二年に、ロンドンで、第一回の国際監獄会議というのが開かれたのであります。最近には、一九五〇年に、その第十二回会議がハーグで開かれました。今日では、この事業は国際連合の手に移されまして、この次の会議は、一九五五年に開かれることになって居ります。

アメリカにおける監獄改良の運動は、右のようにフランクリンたちの手に依って、はじめられたものでありましたが、はじめは、むしろ宗教的な色彩の強いものでありました。まず主張せられましたのは独房制の制度でありました。それは、犯罪人を独房に閉じ込めておけば、すなわち、一つの部屋にひとりの受刑者ということにすれば、おのずから神に近づいて、悔い改めることになるであろう、というわけであります。そこにフレンド派の影響が認められることになりましょう。この独房制ということは、今日ではあまりにも人間性を無視したものとせられるに至ったのでありますが、しかし、そこに、思想的には二つの重要なものが予定せられたわけであります。その一は、犯罪人を善人になおす、矯正する、ということであります。その二は、それについては刑の制度に何ものか工夫を加える、技術的に改良を施す、ということであります。そこで、十九世紀の下半期になりまして、ブロックウェーとかワインズとかいう人たちが監獄協会を組織して運動を興すことになりました。ブロックウェーは不定期刑の実施をはじめた人として前に一言しました。その折、われわれの先覚者留岡幸助翁がブロックウェーと親しくせられたことを申し添えましたが、ワインズも、亦、留岡翁が親しくせられた方でありまして、アメリカにおける刑事政策の発展については、重要な人であられたのでありまます。一八七二年のロンドンの第一回会議の折には、ワインズが、大にその会議で活躍せられました。まさに会議の指導者であられたのでした。

アメリカの監獄協会が一八七〇年に宣言しました原則宣言は、その一八七二年の第一回国際監獄会議において承認せられたのでありました。この宣言三十七箇条には、種々の原則が挙げられて居るのでであります。刑は犯罪人の改善を目的とするものであること、犯罪人を罰するというのは社会の保全のためのもので、その処罰は犯罪に対するのでなくして犯罪人に対するのであるということ、犯罪人の人柄を調査して、その人柄に適応するように処置を考えねばならぬということ、不定期刑制を採らねばならぬということ、刑務に従事する者は、犯罪人は必ず矯正せられ得るものであるという信念を有たねばならぬということ、恐怖を与えるよりも希望を与えることが重要なので、刑を実際に加えること、すなわち刑の執行においては、受刑者の心を捉えることが肝要であるということ、受刑者の自尊心を養い、その責任心を発達せしめねばならぬということ、良き受刑者を作るのでなく、良き市民を作るのでなければならぬということ、最後には、刑務の改良には婦人の協力が必要であること、等々の種々のものが並べられてあります。学者は、これを、行刑上の人権宣言であるとして居る次第であります。アメリカでは、かくして、一八六五年の奴隷の解放以後、人権思想が受刑者にまで及ばねばならぬものとせられることになったのであります。

ヨーロッパでは、一八七六年（明治九年）にロンブローゾの『犯罪人論』が世に出たこと、これはすでにしばしば申し上げた如くであります。犯罪人の或者には先天的な犯罪人というべき者があるということで、大に世の中をおどろかしたのでありましたが、その後、ロンブローゾの唱え出しました医家として自然科学者としての考え方が、特にその門下フェリー先生、この方は、わたくしが、留学中、ローマ大学で就きました先生で、刑法の新派理論を開いた学者であります。このフェリー先生、それに、なお、別に、ドイツでリスト先生、この先生がベルリン大学でのわたくしの先生であったことは、前に申し上げました。この両先生の手に依って、更に、社会学的にも展開せられることになりまして、犯罪は、単に犯罪人自身の自由意思に因るものであるというような単純なものではなく、それは、その個人的な原因及び社会的な原因、すなわち、素質と環境との絡み合いに因るものである、ということが認められることになったのであります。すなわち、犯罪及び犯罪人を科学的に実証的に考察し、その原因に応じてそれに対する対策を考えるべきであるとせられることになったのであります。すでに、犯罪現象を斯く科学的に因果の系列において理解することになりますと、単に因果応報罪悪必罰の原則に依って刑を科するというようなことは無意味なことといわねばなりません。われわれは、賢明に、その原因に対して対犯罪政策の技術を練ることにせねばなりません。かくして、復讐乃至応報という考え方がますます後退いたし、犯罪人を改善するということが前面に出て来るわけになったのであります。十九世紀のはじめにおきましては、いわゆる罪刑法定主義に依って、法律に依るのでなければ人を罰しないということが人権保障の要点とせられたのでありますが、しかし、今日では、それればかりでなく、更に、刑の内容は、単純な害悪として考えらるべきではないものとせられ、それを、改善の方法として工夫し組み立てなおすことに因って、人権保障の上に一層の進歩を見るべきである、とせられることになったのであります。すなわち、刑法は、犯人改善のための法律たる意味において人権保障のための法律であるとせられることになったのであります。刑法における罪刑法定主義は、本来は、法律に規定せられていない行為はどんな行為でもこれを処罰することができないという意義において、人権のために国家の権力を制限したものでありますが、しかし、それだけでは、刑は、犯罪に対する応報としての害悪たるに止まるのであります。これに対し、刑事政策という考え方では、まず、できるだけ処罰しないことを考えるのであります。そうして、次に、処罰するにおいては、その処罰に依って、犯罪人が改善させられるようにするのであります。それで、この頃では、これを教育刑の原則ともいいます。刑罰は害悪を加えることそれ自体を趣旨とし主眼とするものでなくして、教育のための一種の手段であるというのであります。

犯罪人は成るべく罰しないことにするのであります。と、かように申しますと、ちょっと非常識のように聞えるのでありますが、これは、或は起訴猶予にし、或は執行猶予の言渡にすることをいうのであります。五十余年前、わたくしが法律学の勉強をはじめました頃には、執行猶予という制度は、英米や、乃至、フランスやベルギーなどですでに例はあるとのこととせられつつも、理屈の上から考えておかしなことであるというのでありました。それが、明治四十年に今日の刑法ができました時には、殺人罪にも執行猶予が許されるというので、これが、また、甚しく異様に思われるのでありました。終戦後になりまして、執行猶予の許される範囲が拡げられましたが、しかし、それは、すなおに、簡単に、そう拡げられたわけではないのでありまして、実は、わたくしはその改正に関係した一人でありますが、いわば一生懸命の努力が必要であったのでありました。それが、今回、また、一歩を進めることになりました。執行猶予には、保護観察の処分を付加することができるというのであります。執行猶予を言い渡しっぱなしにしないで、更に保護観察に付することになりましたので、その者が過を再びしないように、法律に現に用いてある言葉に依りますと、補導、援護、指導、監督しようというのであります。

刑務所に収容した者に対しましては、二つのことが注意せらるべきであります。その一としては、医療的な方法が講ぜられることであります。国際連合の定めました一九五一年の受刑者処遇最低基準規程案というものがありますが、刑務所での取扱の第一に治療的方法というのを挙げて居ります。次には、その二として、労働を科するについていわゆる有用労働の原則に依るのであります。単に苦痛乃至害悪としてのいわば内容のない労働ではないので、それが、同時に世の中のためになっている、実質ある、働く者として働き甲斐のある生産的な労働ということであります。国家は、刑務所の中には失業あらしめてはならないのでありまして、相当な労働、すなわちいわゆる有用労働を受刑者に供給し分配せねばならぬのであります。

日本国憲法は、刑法のかような新らしい考え方について何ものも規定して居りません。わたくしは、憲法改正案の審理には貴族院議員として参加しましたので、刑の執行については犯罪人の改善を考慮すべきであるとする旨の修正を申し出たのでありましたが、残念ながら、容れられませんでした。しかし、最近の憲法として、わたくしの承知いたして居りますところでは、イタリヤ憲法が、また、アルゼンティン憲法が、これを規定して居ります。わが国では、憲法には明かに規定するまでに至りませんでしたけれども、その後、犯罪人を改善するという立場からいろいろの新法律ができて居ります。役所の名称も、昔、監獄局といったのが、その後行刑局となり、終戦後、今日では、矯正局ということになりました。

日本国憲法第二十五条第二項は、社会福祉、社会保障及び公衆衛生のために国が努めるべき旨を規定して居ります。そこで、社会問題には、貧乏と病気と犯罪とが巴の如く互に因となり果となって居ること、前にも申し上げました如くであります。それに、最近の趨勢のように、特に刑罰の執行において治療的方法を第一に置いて考えますときには、犯罪人は意外にも多数が何かの病人であることを知ることになって来ましたので、従って、国家が公衆衛生に努めるということは、おのずから刑事政策にも拡張して考えられることになるのであります。

戦後、犯罪事情が甚しく不良なのは、世界を通じてのことであります。これについて、国際連合は対策を講じて居ります。それには、まず、厳罰ではなく、プロベーション（保護観察）を大にやるべきであるとして、国際会議も開き、有益な報告書も出して居ります。その報告書の中に、刑事政策には経済的、社会的、文化的背景が伴わねばならぬと説いて居ります。わが国も、亦、刑事政策について、『国際社会において名誉ある地位を占め』るよう、経済的、社会的及び文化的に背景を整備することが必要であります。刑事政策も、亦、グッド・ウィルと技術との結合として、そこには、寛容と忍耐と工夫とが必要なのであります。

刑法の進化は、人の本能に属する復讐心を国家的に統制するところに見られるのであります。そうして、現代においては、その統制が、従来の罪刑法定主義に依る消極的なものから、刑事政策に依る新たな積極的なものにまで発展しつつあるところに、その進化の要点が成立して居るのであります。すなわち　刑法における自然法がかように進化して居るのであります。

第十話　法律の普遍史的解析

今夕おはなしを申し上げる事柄の標題は、『法律の普遍史的解析』というのであります。あまりにひねった言葉との批評もありましょうかとためらわれるのでありますが、この語も、具体的妥当性などというのとおなじく、わたくしがたくんで見たものの一つであります。標題はやや大袈裟なのでありますが、要するに、法律現象を分析して見ますと、四種の要素が、自然法の進化として、見出されるということに外ならぬのであります。

四種の要素と申しますと、その第一が神秘であります。第二は権力であります。第三が権利、そうして、最後に、第四が協同であります。

すなわち、右の四種の要素を、例に依って、自然法の進化という立場から考えて見ようというのであります。法律を研究いたしますのに、学者の態度として、二つのものが区別してながめられます。或学者は、いわゆる論理的な方法でやるのであります。通常、われわれの法律論は、この論理的方法に依るのであります。民法なり刑法なりを一つのいわば調和的な統一体として考え、これを二つに割り切り、それを更に二つに割り切って考えるというようなことになりますので、その民法なり刑法なりを論理的に動かない固い塊まりか何かのようにして論ずるのであります。しかし、それをやって見ますと、法律を全部矛盾なく理解するということはできないことなのであります。そこで、法律学者は折衷説というのを考えます。ああでもあるが、こうでもある、とやるのであります。それが穏健な学説といって評判がいいことになります。しかし、穏健な折衷説というのでは、事が兎角割り切れないものになります。数学的なもの論理的なものといわれる法律が、学問としては、やはり、棒暗記の連続になるのであります。

そこで、右の論理的方法に対して、また、別に、歴史的方法というのがあります。法律は論理でかたまっているというようなものでなくして、歴史的な産物、すなわち、おのずから成立し変遷するものであるというのであります。こうなりますと、法律を論理なものとは必しもいい得ないことになるのであります。或民族の或時代にこうこうかくかくの法律があったという歴史をやることになりますので、それを、今日の法律、現行の法律に就いて申しますと、こうこう斯く斯くの次第で、この法律ができている、あの法律ができている、というだけのことになるのであります。ここでは、法律には、必しも論理はないのでありまして、法律は、むしろ、いわば非合理的なものとして成立しているわけになります。それで、法律を知るということは、その全部をいわば暗記するということになります。

しかし、現に歴史的産物として成立していますところの法律を、裁判すべき事件に対して解釈し運用しようということになりますと、暗記だけでは埒が明きません。実際問題としては、法律に直接の規定のない場合が特に問題となるのでありまして、その場合には、どうしても、論理に訴えなければならぬのであります。

しかし、また、その論理というのが、怪しいのでありまして、すでにしばしば申し上げましたわが国の判例に就いて見ましても、それが名判決とせられているものほど、これを吟味して見ますと、実は、単に数学的な論理に依ったものではありません。しかし、それだけに、それは乾からびた論理の連続たるものから離れて、そこに、一種の肉が見受けられ、血のかよっているのがながめられ、更に、また、涙さえが、その論理的なものの背面に予定せられ、理屈とせられるものの中にまじって居るのであります。

それで、その名判決とせられるものは、実は、その裁判官の個性の現われであり、その人の人生観の発露であるということになるのであります。しかも、その個人的なものが名判決として世に受け取られるところに、その社会の人生観、その時代の世界観が代弁せられているというわけになるのであります。それで、そこには、判決に、いわば人間性そのものが示されていることになるのであります。

かく人間性そのものと申しますと、それは、或民族の或時代といういわゆる歴史的なものを超越することになります。ここに普遍史ということが考えられるのであります。人間の顔はそれぞれにちがうのでありますが、われわれは、そのいろいろの顔を予定しつつ、しかしその顔を超越して、人間というものの顔、すなわち、人間のいわば普遍的な顔を考えることができるわけであります。そういうようなわけで、法律にも、人間性に因る普遍的なものがあるということになり得るのであります。そこに法律の普遍史ということが考えられますので、その普遍史において、法律が進化し変遷する、ということを考え得るのであります。

その、法律の普遍史において、第一にわれわれの眼につくものは、法律の神秘性ということであります。昔の法律に遡れば遡るほど、法律は甚しく論理性のないものになりますので、古代には、今日からは想像のできない珍妙不可思議な法律が行われていたということになります。そこで、ここでは、一つ、社会学者がタブーと称している現象を考えて見ることにいたしましょう。

タブーということが、この頃よく世の中でいわれて居ります。例えば、一定の物がタブーであると申しますときは、その物に対して遠ざかっていなければならない、というような意味であります。それにさわってはならないので、さわると、たたりがある、とがめがある、天罰神罰があるというような意味のものであります。それを、更に、社会生活に適用して、してはならぬこと、やってはならぬこと、というときにタブーということがいわれます。本来は、ポリネシヤ群島の土人の言葉でありまして、今日では、社会学上、世界的なものとしてむしろ一種の術語としてさえ用いられて居ります。十九世紀の前半紀において、宣教師たちや旅行家やなどがポリネシャ群島にはいり込んで見ますと、その土人の間に、一種の迷信があってタブーと称せられていることを発見しました。それは迷信にちがいないのでありますが、しかし、それに由って、そこに社会生活が秩序正しく維持せられて居るというのであります。例えば、死んだ人はタブーであるというのであります。それにむやみにさわることは許されません。死んだ人は、その生前の名前で呼ぶことも許されませんので、これに一種のおくり名、讃え名をさえつけるというのもそれであります。死んだ人についていえば、それは一方には汚れたものでありますが、他方には貴いものであります。この両つの考え方が一つのものになっていて、まだ分化しないままに、タブーという言葉に蔽われることになっているのであります。そういうところから、死体をしかるべく葬るということ、すなわち一種の社会的措置がうまくゆくということになるのであります。

そこで、王さまがタブーであります。ポリネシャ群島に生活している下級民族の間では、王さまは神さまの子孫でありまして、これに触れるなどということは許されません。じかにその顔をながめることも許されません。その名を呼ぶことも不敬なことになりますので、実名はわかりません。そうして、王さまそれ自身ばかりでなく、王さまの持物がすべてタブーになりまして、それが皆神聖視せられることになります。宣教師たちや旅行家の人々もはじめは単に奇妙な迷信と考えていたのでありまして、それを、その土民の用語たるタブーという言葉に依ってヨーロッパに伝えたのでありますが、学者が段々研究いたしまして、それは、英語で申せばプロヒビションということになると理解することになりました。そうして、それは、アメリカン・インディヤンにも、オーストラリヤの土人にも、またアフリカの土人にも見受けられるところであるばかりでなく、現在の文化民族と誇っている人々の間にも沢山見受けられる習俗であることがわかりました。プロヒビションというは、邦訳いたしますれば、禁止ということであります。これを、更に、禁忌、禁戒、すなわち禁じ忌むとか、禁じ戒めるとか申しますれば、われわれの間に現に知られている言葉であり、事柄である、ということになります。

タブーを研究して有名な学者フレーザーが、タブーを説いて、迷信の社会的作用ということを論じて居ります。タブーは迷信であるにしても、それに由って、はじめて、その下級民族では、社会生活の保持発展ができるというのであります。王さまの地位とか、また、その持物の所有権とかが、すべてタブーであることに因って、社会秩序を完うし得ることになるのであります。われわれの各自が、また、実に、個人として自己としてタブーなのであることを考えねばなりません。個人は個人として十分尊重せられねばならぬのでありまして、他人がわれわれの身体にむやみにさわること、例えばわたくしの頰ぺたをいきなりなでるということは、われわれとしては許すわけにまいりません。他人が、わたくしの名をそのまま直接に呼び捨てにすることも、許し得るところではないのでありまして、人を呼ぶときには、何々さま、何々殿、何々閣下などというようなことになります。これが、憲法でいえば個人の尊厳ということになるのであります。

下級民族では、タブーを侵すと神罰があたるという信念が行われるのであります。その一種の宗教的な信念が、社会生活において、上下それぞれの秩序を全うしてゆくのであります。実際に、タブーを侵しますと、天罰があたって、狂い死にをすることになる、というようなことがあると報告せられて居ります。

そのタブーから王さまの権力が確立せられることになるのでありますが、その次には、タブーを侵した者に対しては、王さまが、その権力を用いて刑罰を行うことになるのでありまして、もはや、天罰神罰を待たないことになるのであります。ここに、法律が、タブーの上に成立しているものから進んで、権力本位のものになります。天罰神罰ということが刑法になって来るのであります。

ここで、ヨーロッパの中世にと、ひと飛びいたしますが、そこに、王権の確立という重要な社会制度法律制度が確立いたしましても、やはり、一種のタブーが利用せられたのであります。それはいわゆる王権神授説であります。王さまの権力は神の恩寵に依るものであるというので、その権力が神聖視せられ、従って、わたくし共から申しますれば、法律的に保護せられたのであります。そこで、王さまが栄え、その権力の下に統率せられた民族が結束して、戦争をし合った。結束の弱いものが負けて、それの強い方の力に因る近世国家の勃興ということになって来たのであります。

権力本位の社会組織は、今日のわれわれから見ますれば、封建式ということになります。しかし、この封建式な仕組に依って、当時の社会生活が保持せられ発展したのでありまして、経済も、学問も、共に、いわば、王権のお蔭で進歩したのであるということになります。この経済と学問との進歩に因って、文芸復興後の文化現象たる個人の自覚ということが成立することになりました。それが、王権の下に育て上げられつつ、終に、王権をたおして、フランス革命になったのであります。フランス革命の土台になりました思想は、いわゆる社会契約説すなわち民約説でありまして、これは、右に述べました王権神授説すなわち神権説に代ったのであります。国家は、多数の個人が契約に因って組織しているものということになりました。そこでは、それまでの王さまの権力という考え方からできていた主権という観念を承け継ぎまして、新たにそれを国民のものとして、国民主権という観念をこしらえ上げることになりました。こうなると、これは、もう、現代のものであります。主権というものは、最高絶対のものとせられるのでありますが、その基礎には国民それぞれの者に権利があって、その国民がその権利に依って契約したところにそれが成立しているものということになるのであります。法律思想から申しますと、権力本位の考え方から権利本位のものへの変遷があったわけであります。

タブーだからといいましても、それを信じているその土人からいえば、それは、その者にとって当然のもの、自明の原理なのであります。しかし、それはいつまでもかような原理としてつづくわけにはゆかないのであります。かくして、新たに王さまの権力ということになります。そこでは、神の恩寵に依って君臨する王さまということがいわれたのであります。これも、これを信じている民族にとっては、説明を要しないで理解のできる当然自明の原理であったわけであります。今日では、われわれは、権利を以って、われわれの法律生活における基本原理とすることになりました。近代自然法は、あらゆる非合理的なものを排斥いたしまして、ただ個人の権利ということを純正に合理的なものとすることになりました。そうして、十九世紀における法律文化がそこに成立したわけであります。個人主義自由主義の法律文化であります。憲法の用語で申しますれば個人の尊厳を原理とする法律文化であります。

しかし、われわれは、果して、今日、下級民族や古代民族に見受けるようなタブーから全然脱却しているということができるでありましょうか。お互に呼び合うときにも敬称を用いねばならぬということは、タブーの遺物であると上に申し上げました。太郎は簡明に太郎というだけでいいはずなのに、何故に、太郎さんといわねば、われわれの間の関係が円くおだやかにゆかないのでありましょうか。

ここに非合理的なものがあるのであります。しかし、これは、われわれがポリネシヤ群島の土人のタブーを迷信とするように迷信といい捨てるわけにはゆかないのであります。上に引用しましたフレーザーの言葉、すなわち迷信の社会的作用ということをもじって申しますと、非合理的なものの社会的な合理性ということになりましょう。法律現象を吟味して見ますと、案外にも、かような非合理的なものに出会うことが多いのであります。事がわれわれの常識になって居りますので、これを非合理的なものとは考えないのでありますが、子供がわれわれに何故何故と質問を進めるのに接した最後には、天よりや降りけん、地よりや湧きけんと答えなければならぬようなことになるのが多いのであります。しかし、それかといって、非合理的なもの、理由のないものであるから、当然に馬鹿らしいものである、とすべきではありませんので、われわれは、その社会的作用を吟味して、すなわちそれにいわゆる批判を施すことに因って、そのものをしかるべく按排し、それに調節を加え、それを適当に尊重することにせねばならぬのであります。

そうなりますと、今日のわれわれの法律生活において自明のもの、当然の法則、乃至人類普遍の原理とせられているところの『権利』という観念が、果して合理的なものといい得るか、という問題にでくわさねばならぬ次第にもなるではありますまいか。昔は、タブーを侵すと、その者に、はじめは天罰があり、次には刑罰が科せられました。今日、権利の観念の合理性に対して批判を加えようということになりましては、これは重大なことでありまして、世上の人々から、学者のつむじ曲りというだけでは許されないことになるかも知れません。

しかし、二十世紀の法律文化は、法律上、固より依然として権利という言葉を用いつつも、すでに、相当に深刻に権利の観念を批判しているのであります。それは、すなわち、民法新第一条第三項が、権利の濫用はこれを許さず、と規定しているところに示されているものであります。比較憲法の上から申しますれば、所有権は義務を伴う、としたワイマール憲法がこれを明かにしているのであります。われわれは、権利の観念の文化的作用を尊重するのではありますが、しかし、二十世紀の法律文化が漸次権利の考え方を捨てつつ、権利を超える或ものに向って進化を進めつつあることを考えねばならぬのであります。

民法が、新憲法の下に改正せられまして、その第一条第一項に、『私権は公共の福祉に遵ふ』とせられることになりました。旧来の第一条『私権の享有は出生に始まる』というのは、固より当然でもあり大切でもある規定でありますが、しかし、その権利本位な規定が、いわば格下げになりまして、今日では第一条の三ということになりました。

公共の福祉ということは、新憲法がしばしば用いている言葉であります。新憲法は、第十二条に、基本的人権は『濫用してはならないのであって、常に公共の福祉のために利用する責任を負』わされているものとしているのであります。憲法は、なお、第一条に『日本国民の統合』といって居ります し、民法は、すでにしばしば申し上げましたように、新第一条第二項において『信義誠実』の原則と いって居ります。社会学者はこれを社会連帯の原則というのでありますし、更に一派の学者の用語に 従いますと『相互扶助』ということにもなります。わたくしは敢てこれを『統制』と申したい。わた くしの留学当時、ラルノードというパリー大学の憲法の先生が、社会主義のことを論ずるのに、当時、 一種の批評を免れなかった政治上の社会主義との混同をおそれて、特に、『科学的な意義における社会 主義』という語を用いられましたが、ここには、誤解を避けるため、それに倣って、『科学的な意義に おける統制』と申しましょう。しかし、平凡にいえば、『協同』というだけのことであります。

人類の法律文化は、タブーにはじまり、権力に遷り、権利に進みましたが、その権利が、協同に向 って、いわば変貌を進めつつあるのが、今日の法律文化であります。それが人類の普遍史であります。 この普遍史の立場から、現代の法律に対しまして、丁度、プリズムをとおして太陽の光を七いろに別 けますように、法律の影、法律の色をながめますと、四種の要素が認められるのであります。このこ とを、わたくしは、法律の普遍史的解析という名称の下に問題にしているのであります。今日の憲法 や、乃至、民法刑法やに対し、その論理的に取扱い得られないところを普遍史的に説明し、その普遍 史的な進化に対し、それが、いかに、更に、進化を進めるべきかを論理的に考えようとしているのであります。人類普遍の原理とせられる自然法が斯くして進化するというのであります。

かく普遍史的に解析を施しますことに因って、現代の法律は、ちょっと見たところ、単純な色のもののようでありつつも、実は、複雑なもの、すなわち四種の要素から成立するのであることを知ることができるのであります。法律は、形式論理に依って簡単に割り切ることのできるものではありません。しかし、常に非合理的なものが残るのでありつつ、また、常に、合理的なものを追うて進化してゆくのをながめ取るところに、その四種の要素のそれぞれに対し、適当な理解、すなわち結局において合理的な解釈を為し得ることが考え得られるのであります。これが法律の解釈の仕事であります。

その進化が更に進むとき、何ものが目標になるのでありましょうか。わたくしは、次回の最後のおはなしにおいて、法律文化の北極星がどこに光かっているかを考えることにいたしましょう。

第十一話　法律学の三種の問題

前回に引きつづいて、ここでは、結論を申し述べねばならぬ次第になるように、申し上げておきました。その結論の前に、少しばかり、足踏みをいたすことのお許しをねがいたい。前回に、法律には四種の要素があって、それを、普遍史的というプリズムをとおして分析して見るとわかると申しましたが、そうわかることになりますと、さて、われわれとしては、現在、そのいろいろの要素の中で、何を重点として法律を考えているかをみずから反省せねばならぬわけになるのであります。それについて、今夕の標題は、『三種の問題』と御承知をねがい上げます。それは、第一に主権であります。第二に所有権であります。そうして、第三に刑罰であります。まず、率直に申すことが許されますならば、わたくしは、この三つのものに対する伝統的な観念に対して疑問を有つのであります。主権として考えられているものが、果して、本当に主権であるかと疑うのであります。所有権についても、刑罰についても、おなじく、いったい、所有権として現に考えているようなもの、刑罰として疑わないでいるようなものが、果して所有権とし刑罰として存在しているのか、また存在すべきはずのものか、と疑うのであります。

国王がタブーとせられる文化の階級から、漸次に事物が発達しまして、その次には、国王の神権ということが考えられ、そこに、主権という観念が理論的に構成せられました。それが更に変遷を進めて、今日では国民主権ということになりました。さて、これが、進化として、果して最後の極点になっているのでしょうか。これを、わたくしは、憲法論として問題としているのであります。

これについて、わたくしは二つのことを思い出します。その一つは、東京帝国大学へ入学しました折、まず聴聞しました憲法の講義のことであります。先生は穂積八束先生（万延元年一八六〇―大正元年一九一二）でした。その荘重な調子で、雄渾な文章を口授せられるのが、わたくしには心引かれることでありました。その講義の第一時間目であったかとおもいますが、国家生活の本体を説いて、形式的には権力であり、実質的には保護である、とせられたのでありました。穂積先生の憲法論は、権力論であるとして、世上からいろいろの批判のあったところでありましたが、わたくしには、先生の学説は権力を謳歌するに終始したものとは考えられませんので、むしろ、権力に依る保護という点に重きが在るもののように理解せられました。しかし、固より、国家の主権は、最高、円満、無限、絶対の権力であるとせられたのでありますが、そのしかく無限絶対なものということは、法律的にいうときは国家形態の形式であることになりますので、これに対し、別に、国家の実態は、保護であるということになるのであります。今日から申しますれば、憲法第二十五条に規定せられていますところの最低限度の生活の保障であるとか、社会保障についての国家の任務責務であるとかいうことは、その講義において、すでに教えられていたことになるのであります。最低生活とか社会保障とかいう言葉は、固より、その当時においては教えられたところでありません。しかし、国家ということを理解するのに、法律上、形式的に、絶対な権力ということをのみ中心としないで、それと共に、実質的に、国家の力に依る国民の保護ということを基礎として考えるということは、その当時においてすでに学んだところであったのであります。

その後、留学中に、しばらくパリー大学に籍を置いたことがあります。パリー大学では、すでに申しましたラルノードが、一般公法学として、憲法を講じていられたのでありますが、その一節に、次のようなことがあったのであります。すなわち、それは、今日、国家理論として主権ということが考えられているけれども、国家のいずこに何人がそのような主権を行使しているか、という趣旨のものでありました。上は大統領にしても、首相にしても、一定の権限があり、責務がそれに伴っているだけであり、また、下は国民として考えると、国民は全体として主権を有っているものとせられるのではありますが、国民の一般は何人も選挙権以上のものを有っているのでないということになるのでありますし、その選挙権は、良心に従い真面目に行使せねばならぬものというだけのことになるのであります。かように考えて来ますと、国家の絶対な主権ということは、国民が、それぞれの地位乃至資格において責務を有っていることを説明するための一種の便宜的な仮説に過ぎないことになるのであります。それを実体的に存立するものとすることは、下級民族がタブーを信ずるのと、いわば五十歩百歩ということにもなるのではありますまいか。今日では、国王の神権説ということも、儀礼的には、神の恩寵に依ってとか、天祐を保全しとかいって、一種のいわば味わいがあり、一種の含みのあるものではありますが、法律論としては、それに対し考え方を進めねばならぬものになったのであります。その権力が、国王から離れて、国民のものにせられたのでありますが、しかし、国民の一人一人はただ国民そのものであるのであって、主権者ではありません。そこに、主権ということになると、何ものか解きがたい謎のようなものがあるのではないか、ともいい得ることになるのであります。

権力ということと保護ということとを結びつけることは、常識上むしろ当然なことであると考えられるのでありますが、法律学上、論理的には、十九世紀の憲法論として、解きがたい矛盾であるとせられたところであります。しかし、それは、『国民主権』という言葉をつかうことに因って、兎も角もわかったこととせられ、それで現在までもつづいて来たのであります。しかし、目の前にしているわれわれの社会問題を適当に解決しようということになりますと、国民の一人一人が、それぞれ主権の八千万分の一を有っているのであるというようなことでは解決がつかないのであります。そこで、今後の憲法論では、いわば主権は義務を伴うとでもいわねばならぬことになりました。そうしますと、われわれ国民は、主権の八千万分の一を主張する前に、各、主権の背負う義務の八千万分の一を果たさねばならぬことになるのであります。そこで、そうなると、主権の本体はどこに在るかと疑われることにもなるのであります。主権を疑うと申しましては、言葉として誤解を招く虞があるとも考えねばなりません。しかし、このむしろ非常識な言い草は、これを実生活に適用して見ますと、国民の各自がまず自己の責務を自覚せねばならぬというだけの極めて常識的な結論になるのであります。すでに、学説としては、主権という考え方を以って単に形而上のものであるとするのがありまして、これを憲法理論の中から取り除けて、憲法論の新らしい組立て、すなわちシステムを考えることにしているのがあるのであります。それは、国家の主権から、できるだけ、まず、タブーを除き、権力を除き、次に権利ということさえをも除いて、なろうことならば協同の要素だけにしようというのであります。

右に『主権は義務を伴う』という言葉を用いましたが、これを所有権に当てはめて申しますれば、『所有権は義務を伴う』ということになるのでありまして、これならば、ワイマール憲法が示してから広く唱えられるところとなっていること、すでにしばしば申し上げました如くであります。この言葉は、ヨーロッパの中世から大革命の直前にわたって、『貴族は義務を伴う』というのがありましたのから来たものであることも、すでに申しました。フランス大革命以後、世の中は、いわゆる資本主義というわけで、所有権本位の組織になりましたのですが、今度は、それに対する社会主義的な考え方として、所有権は義務を伴うということになりました。昔は、身分本位の世の中として貴族階級が権力を握っていましたのが、今日では民主国家となったのでありますから、国家理論としては、貴族は義務を伴うというのを言い換えて、国家は義務を伴う、主権は義務を伴う、そうして、従って、国民は義務を伴う、ということにしてしかるべきわけになるかと考えるのであります。しかし、そのような言葉は用いられて居りません。用いられているのは、『所有権は義務を伴う』というのであります。

国家は義務を伴うと申しましても、国家が権力を捨てるのでなく、その権力を行いつつ、それに依ってその義務を果たすことになるのであります。それとおなじく、所有権は義務を伴うと申しましても、所有権という制度そのものには動きがないのであります。ただ、所有権は、一方においては濫用せられてはならぬのでありますし、他方においては、公共の福祉に適合するように行使する義務を負担しているというだけのことになるのであります。所有権は、懶惰権ではなくなるのであります。

所有権が、フランスの人権宣言では、侵すべからざる神聖の権利とせられていましたことは、すでに述べました。それに由って、実生活が権力から解放せられまして、世の中が明るくなったのでしたが、それには、いつのまにやら、社会問題という陰が伴なうことになりました。その陰をできるだけうすくするように、できるならば全くなくなるようにするためには、今度は、所有権を何とか按排調節することにせねばならぬようになったのであります。自分の土地であるからといって、勝手な建物を建てるわけにゆきません。折角の農地を荒れるがままにしておくことも許されません。しかし、高飛車に、真向から直接に、所有権を制限するというのでは、うまく円滑に事が行われるわけにまいりませんので、そこに、法律はいろいろに技術を用います。峠をのぼるには遠まわりをするのでありま す。すなわち、所有者自身がおだやかにその制限を受け容れるように、国家は、権力を離れた法律的な各種の技術を用いるのであります。これが、特に、いろいろな行政法規になっているのであります。おしまいには税法が現われて来ますので、租税の負担を公平にするという仕組において、所有物を適当に利用するように仕向けるということなどが考えられるのであります。

所有権の機能は契約として現われます。この契約は、契約自由の原則に依って支配せられるものというのでありましたが、今日では、そうゆきません。デパートで買物をするにも正札がついて居ります。店員に向って値切るというようなかけ引は許されません。汽車電車ということになりますと、運賃は一定していますし、その車も人々の勝手な時間に出発し、乗客の気の向くままに停車するというわけにまいりません。われわれは、契約について、自己の自由を主張する前に、契約に関する各種の法規を考え、それに適応するように、自分の方から進んで、自分の立場を工夫せねばならぬことになるのであります。自己の勝手をとおそうとしますならば、水道をやめて井戸だけにすることにせねばならなくなるのでありますし、電燈ではなくして、やはり、昔の行燈に立ちかえるということになる外はありません。しかし、そこに、また、どうやらすると、法律上、井戸を掘ること、行燈を用いることが禁ぜられる、制限せられる、というようなことにもなるのであります。

学問の方では、かような現象を『私法の公法化』というのであります。言い方としては例に依って小むずかしいものになるのでありますが、要するに、権利から協同への進化ということになるのでありますが。いうまでもなく、契約ということが無視せられてしまうのではありません。約束を守れということは、自然法としてつづくのであります。しかし、自由競争の約束だけで、世の中がうまくゆくのではありません。文化の発展ということは、有形的にも、無形的にも、人と人とが手を相携えてゆくところに見受け得ることになりますので、契約も、亦、この協同という現象に適応しつつ発展してゆくのであります。それで、今日の生活現象では、契約を結ぶ結ばぬは自由であるにしても、契約を結べば、或は法律で、或は会社の方で、例えば保険なら保険会社の方で一方的に定めた約款に依って、契約の内容がきまってしまうということが多いのであります。場合に依っては或場合には締結強制といって、一定の契約を取り結ぶことが当事者の義務になるのであります。水道会社やガス会社は、われわれが正当に申し出た要求に対しては、締約を強制せられ、それに応じなければならぬわけになるのであります。一定の労務に就くことになりますれば、それに伴って、当然に、保険が強制せられるということがあるのであります。そこには、もはや、契約の自由はありません。

そうしますと、所有権は、これをどう定義すればいいか、契約は、その本質如何と、従来の考え方に対し疑を有つことになるのであります。しかし、これは、学問上のことであります。所有権や契約やが世の中からなくなるのではありません。ただ、事物の変遷の間に、専ら学問をいたして居りまするわたくし共としては、理論を全く一新せねばならぬことになるのであります。今日も、なお、五十年前に教えられました民法の講義をありがたいことに思って、忘れはいたしませんが、今日は、それからしてすでに五十年を経て居るのであります。

そこで、最後に、刑罰のことを申し上げて見たいとおもいます。さきに教育刑の原則ということを申し上げましたが、これは、一見矛盾したものの言いようになって居るのでありまして、ひとり非常識であるばかりでなく、論理的には許すべからざる考え方であるとせられまして、実際においては実現し得ない考え方であるとも非難せられているところであります。

しかし、日本国憲法第三十六条は、残虐な刑罰は絶対にこれを禁ずるものとして居ります。この規定は、その一応の意味におきましては、刑罰における苦痛乃至害悪を分量的に少なくするというのにちがいありませんが、しかし、真に世の中から犯罪をなくしよう、少なくとも犯罪を減少せしめようということになりますと、その分量的なものに対して、更に性質的な按排を加えることにならねばならぬのであります。すなわち、刑罰をできるだけやわらかなものにするという消極的なものから更に一歩を進めまして、積極的に、刑罰を受ける者を改善し、善良な国民たらしめるようにするということになるのであります。これが教育刑の本旨とするところであります。学者に依っては、刑罰には論理上刑罰性がなければならぬので、教育というようなあまいことは許されないといって、わたくしの立場を非難しているのがありますし、刑務所は、いかなる意味においても病院やサナトリウムたることは許されないといって、教育刑論を斥けているのがありますが、しかし、われわれは、刑務所においてそのいわゆるあまい取扱などをしようというのではありません。刑務所生活では、規律に馴れしめることを大切な原則とするのでありますし、それに、今、直ちに、刑務所が病院やサナトリウムに改造せしめられるようにと主張しはいたしませんが、しかし、現に、われわれは、受刑者の大部分、おそらくはその全部が、心身に故障ある者であり、兎も角も治療を必要とするのである、という顕著な事実に当面しているのであります。それで、懲らしめるなどという方法でなく、まず治療の方法が考えられねばならぬのでありますし、また、固より、規律ある生活に馴れしめることにいたし、それと共に、受刑者に適当な生活技能を授けることを趣旨とするのであります。現在の刑務所は、かような理念に対し前途遼遠なのではありますが、刑務所に在る者は、早晩、刑期満了後、これを社会へ帰らしめねばならぬのでありますので、それ等の者を危険な人物のままに還すので足りるのか、ただしは、改善して出獄させる方がいいかということになりますと、そこには議論の余地のないはずかとおもうのであります。悪報として苦痛を与えさえすれば、それでよろしい、というようなことは、最近の刑法論では、世界を通じて考えられて居りません。国際連合も教育刑の原則を承認していますので、その線に沿うてその仕事を進めて居ります。これは国際連盟以来そうなって居るところであります。

そういたしますと、刑罰の本質は果してどんな点に求めるべきであるかが問題になるのであります。中世における、はりつけ火あぶりの類が人道化して、十九世紀には自由刑ということになりましたが、今日では、この自由刑に、治療と教育、すなわち広い意味においての教育改善の要素が加味せられることになりまして、昔の残虐な刑罰が、分量的にちがったばかりでなく、更に、性質的に一変しつつあるのであります。わたくしを以って刑を否定する者とはしないようにして下さい。犯罪をやった者はこれを刑務所へ収容せねばならぬのであります。しかし、その刑務所では、その者が、刑務所から釈放せられるであろう日に、善良な国民としてその門を出で、世の中から安神して迎えられるようにしよう、というのであります。

曾て、或刑務所の新築式に参列しました折、おなじく参列せられた国会議員の人たちが、これは刑務所でなくして、工場ではないか、と不思議そうに語り合われたことがあります。若し、刑務所が、文天祥の正気の歌にあるように、例えばむさくろしい不潔な場所であるとしまして、そこが、例えば伝染病が出るというようなことになりますならば、これは、憲法第二十五条第二項に公衆衛生とある点から見て由々しいことであるにちがいありません。それで刑務所は極めて清潔にできております。同時に、刑務所は、精神的にも不潔な場所であってはなりません。刑務所へはいる人は、精神的に汚れた者なのでありますが、刑務所はそれを収容して、それをいわば精神的に消毒しようというのでありますⅰ。精神的にきれいにして、一人前に世の中の役に立つ人間、すなわち、われわれと手を組み合ってはたらく人間として、社会へ送り返そうというのであります。刑事政策というのはそういうことであります。

五十余年前に、大学に入学しましたとき、その一年生のときに学んだ主権の定義も、所有権のそれも、刑罰のそれも、今日では、いわば役に立たないものになりました。その時代には、わたくしは、石油ランプの下で、井戸水を飲んで、勉強したのであります。

主権と所有権と刑罰とが捨てられるというのではありません。しかし、それに対する理解が、石油ランプから電燈に、井戸から水道に、と変ったくらいに変ったのであります。石油ランプは行燈に比べては著しく文化的なものでありました。しかし、その石油ランプから電燈へ、そうして、今日の電燈以上の文化的な照明が更に考えられていますように、われわれも、主権と所有権と刑罰との定義を新たにしようとしているのであります。それが現在の法律学の課題となって居るのであります。ひとりわが国ばかりでありません、世界を通じてそうなのであります。この課題に答えようとする努力が現代の法律学なのであります。

第十二話　法律学の課題としての神

わたくしが、十六年前、昭和十三年に、東京帝国大学の職を定年に因り退きました折、わたくしが担任していましたのは、刑法の外に、法理学の講座でありました。その講座では、在職三十五年の間に、兎も角も学び採りましたものをまとめて学生に講義をいたしました。その講義において開講の言葉といたしたものは、『法律学の課題としての神』というのでありましたが、それは、要するに、わたくしが、大学を卒業するや直ちに母校の講師として教壇に立ちましてからの三十五年の結論になったものでありました。わたくしは、その折の標題を借りて、今夕のおはなし、この最終のおはなしの標題としたいとおもいます。その三十五年間、わたくしは、法律学を研究しつつ、神を求めたということになりましょう。その後すでにして早くも十六年、朝夕、ひたすらに法律学の研究をつづけて居る次第でありますが、その法律に就いて、朝に神を念じ、夕に神を念じて居るわけであります。

神などということを口にするが如きは、わたくしとして、甚だおこがましいことと申さねばなりません。しかし、単純な法律学究に過ぎないわたくしにとっても、神を求めるということは許されてほしいとおもうのであります。それに、わたくしは、専門として刑法を択びました。悪人を罰するということの法律を研究するのが、わたくしの生涯の仕事になっているのであります。人を罰しつつ、しかし、その罰するということの間に悔なきを得ようといたしますならば、そこに神を求めることにならざるを得ないのであります。

わたくしは、学生として、卒業の年の学級で、穂積老先生すなわち穂積陳重先生の法理学演習を受けました。課題は、『法律と社会主義』というのでありました。民法の実施直後の当時、日露戦役の直前において、わたくしは、専ら学問的に、法律学の立場から社会主義を考える、ということを教えられたわけであります。

穂積先生は、法律の進化ということを教えてくれられました。さきにも一度申し上げましたメーンの語『身分から契約へ』ということを教えられました。そうして更に社会主義を研究することを教えられました。社会主義ということを口にすることは、当時、甚しく不謹慎なこととせられたのでありましたし、それにはそれについての相応の理由もあったのであるとせねばなりませんが、しかし、わたくしは、その後留学中、上にも一言しましたが、パリー大学で、憲法のラルノードの講義において、『言葉の学問的な意味においての社会主義』ということを説かれたのに接しましたとき、成程とおもいましたのであります。穂積先生は、そういう言葉は用いられませんでしたが、専ら学問的に、すなわち、政治的にでなく、専ら学問的であるという意味においての中立的態度を以って、しかし、十分の理解と同情とを以って、社会主義を法律学的に研究することを教えられたのでありました。

メーンの語『身分から契約へ』というのは、明治時代のわが法律学界には広く行われたものでありました。実に、封建的な身分本位の法律から近代的な自由主義個人主義の契約本位の法律への進化ということは、わが民法の当時における思想の動きを示すものであったのであります。しかし、すでに、明治時代において、民法実施の直後、早くもその三年目というのに、民法にはひびがいったのでありました。戸主権の濫用はこれを許さないとするその小さなひびは、要するに、これを、更に根を掘って考えますれば、学問的な意義においての社会主義ということに外ならないのであります。しかし、社会主義という言葉は、上にも申し上げましたように、当時においては謹慎を欠く言葉とせられたのでありましたので、わたくしは、別に『法律の社会化』という言葉を用いることにしました。この言葉は、その後、大正期にわたって、法律学上の標語として広く若い人々の間に行われたところでありました。

それが、メーンの右の『身分から契約へ』というのに代るべきものでありました。メーンのこの語は、われわれ人類が、封建的な抑圧から個人本位にまで、解放せられることの進化を示すものでありましたが、今や、十九世紀から二十世紀へかけての法律の進化、特に第一次第二次の世界戦争を経て、の今日における法律現象を理解しますには、それを更に言い換えねばならぬわけであります。それで、今、いろいろの学者が、いろいろの言葉をわれわれに示して居ります。まず、『契約から規則へ』というのがあります。取引のことは単に契約で極まるのではないので、法律が規則を設けてこれを定めるというのであります。著しい例を申しますれば、労働に関する雇用契約について、ナポレオン法典では一箇条しか規定がなかったのであることを前に申しましたが、ドイツ民法に至ってはやや詳細な規定が二十箇条も設けられるに至りました。それが、今日の労働法規となりましては、実に多量の、そうして複雑な規定が設けられているのであります。かくして、また、一部の学者は、『契約から関係へ』といって居ります。法律関係は、われわれの生活関係の性質に依って当然に定まるものであるというのであります。それで、右の労働法規について申しますれば、経営と労働との間に成立する事物の本来の性質に依って、その法律関係が定まる、というのであります。右の『契約から規則へ』というのは、規則とせられるものの内容を明かにしないところがありますので、それに関係の本質という考え方を加えたものということになりましょう。そうして、更に一派の学者は、『契約から制度へ』という言葉を用いて居ります。ここの『制度』というのはカトリック哲学における新トマス主義の用語であります。カトリシスムについて何の知識もないわたくしといたしましては、みだりに註釈を加えることができないのでありますけれども、しかし、やはり、わたくし共の理解し得る程度において、むしろ常識的に考えることも許されましょうか。すなわち、神がわれわれの全生活に対し秩序を立て給うて居るものと考えて見ますと、われわれの生活の一つ一つは、その全秩序の中における一つの制度を成しているものとすべきでありましょう。その制度は制度としての秩序を有つわけのものでありますから、この制度における秩序ということが、契約に代るわけになる、というのであります。神の定める秩序というように言わないで、自然における事物の性質といえば、それはやがて自然法ということになるのであります。そうして見ますと、曾ては、契約の自由が自然法であるとせられたのでありますのが、今日では、契約の自由の上に更に自然法があるということになるのであります。わたくしは、これは『統制』ということに外ならぬものと考えます。敢て、『学問的意義においての統制』と申しましょう。

自然法というものは、論理的には時と場所とを超越して成立しているものと考えねばなりませんが、しかし、その自然法は、物それ自体としては、どこにどうなっているかわからないのでありまして、われわれは、努力してこれを求めねばならぬのであります。すなわち、自然法は、そのものそれ自体としては捉えようがないものでありますので、ただ、われわれは、われわれの成し得る範囲において、それを認識するだけのものであります。それで、われわれの自然法と考えているものが、実は、自然法に対するわれわれの認識に外ならないのであるといたしますならば、それは、場合に依ってはまちがいもありましょうし、少なくとも常に不完全なものたることを免れないのであるということを、謙虚に反省しなければなりません。ナポレオンの懐刀といわれて、フランス民法の起草者の一人であったポルタリスという学者は、自然法に依ってナポレオン法典を書いたとみずから考えつつも、また、自然法というものは時と経験とがわれわれに知らしめるものである、といって居るのであります。

ポルタリスが斯く時と経験としたものを、穂積先生から教えられたところに依って申しますと、進化ということができましょう。われわれは、比較法に依って、法律の進化の間に、自然法を認識することができるのでありますし、そうして、その認識そのものが、また、常に進化するものなのでありますます。われわれの学問上の努力ということは、永遠に自然法の進化を追求する、ということに帰着するのであります。

昔は、法律は神から授けられたものであるとせられたことがあります。これはギリシャ・ローマの法律思想史にも、和漢印度のそれにも見受けられるところであります。そうして、神さまの名において法律をこしらえた王さまそれ自身までが神さまの一種のように考えられ、タブーとせられたのでありますす。法律も、そのような文化においては、タブーとして成立していたものであります。

それは古い昔がたりということにもなりましょう。しかし、王さま自体が神さまであるとまでせられませんでも、王さまの有っている権力は神さまから授けられたものであるが故に正当であるとする考え方は、フランス革命の直前において現にルイ大王がそう主張したところであります。ヨーロッパのその頃におきましては王権神授説乃至神権説ということが広く行われていたのでありますし、今日でも、イギリスでは、王さまの肩書をいうときには、神さまの恩寵に依って連合王国の王さまたる云云、というようなことになって居ります。これは固より儀礼的に用いられる言葉でありますが、しかし、儀礼的なものであるから無用なものというわけのものではありません。例えば、かような名義乃至資格において法律が公布せられるものとなりますと、そこに、国会の制定する法律の権威の厳粛性が明かにせられる、ということになるのであります。

それにしても、神権説というようなことは、昔ばなしに過ぎません。しかし、それかといって、その神権説に依って国民生活に統一あることを得た中世人の生活ということは、これを無視することができません。それは、人類における文化の発達において、当然の順序であったと考えねばならぬのであります。

しかし、進化現象においてわれわれの気づきますところは、一定の価値あるものがその機能を営みつづけるとき、人は、その価値の実体を忘れて、その形式に執着することになる、ということであります。坊主を悪んで袈裟に及ぶという言葉がありますが、また、その坊さんの故を以って却って袈裟の方をありがたがるというようなことが起って来るのであります。すなわち、神権説は、法律思想上、当然に亡びざるを得ませんでした。フランス革命が、その人権宣言に依って神権説を打破したことになるのであります。

近代人の特色は、自己の理性を信ずるというところに在るものということができましょう。近代人は、自己の理性に依って、神権説に代えるのに民約説社会契約説を以ってしました。国家生活は、個人が、相集まり、自由な契約に依って組み立てるものである、として成文憲法を作りました。すなわち、立憲政体をこしらえ上げました。『身分から契約へ』の法律がそこにできることになったのであります。それが十九世紀の法律文化の特色であります。わが国では、民法が、かくして、五十余年前にひとまず完成したのであった、ということになりましょう。

しかし、わが民法は、その成立の直後において権利の濫用という問題にでくわしました。すでにしばしば申し上げました戸主権の濫用に関する判例がそれであります。フランスでも、十九世紀の中期に至りましては、すでに、権利の濫用の問題について、判例がいろいろ示されることになったのであります。従来の法律論から申しますときは、権利が濫用せられるということはナンセンスの言葉なのであります。しかし、権利ということが尊重せられ、人々が、それを、さも神さまから自然法として与えられたものであるかのように考えて居りますと、いつの間にか、われわれは、権利の濫用という極めて矛盾した事態にでくわすことになるのであります。そこで、日常生活の範囲におきましては、判例が、事件毎に、兎も角も片をつけてゆくことになりますが、それが社会問題となりますと、判例を超えるものになるのであります。ストライキが問題となる間はまだまだとしましても、動もすれば暴動を招き致すことになります。暴動ということになりますと、これは許さるべきところではありますまい。そこで、暴動は許されないが、しかし、ストライキそのものは、もはや、契約違反として違法視すべきではない、ということになりますので、それで、それは、学問上、権利として認めるべきものとせられ、ストライキ権というものがあるとせられることになりまして、諸国に立法上承認せられることになったのであります。これが、まず、二十世紀の文化ということになりましょう。一九〇七年のイギリスの法律トレード・ディスピュート・アクトが範を示したものとせられるのであります。

十九世紀の諸国の憲法乃至フランス民法において明かにせられました個人主義自由主義の法律思想は、あまりにも神を遠ざけて、ひたすら自己の理性を信じたということになりましょう。しかし、この理性というものが、また、やはり進化をつづけるのであります。十九世紀の当初において理性とせられましたものが、自己を完全なものと誇り、絶対なものと思い上がったとき、価値あるものの実体を忘れてその形式に拘泥するということが行われることになったのであります。政治的には、現に民主政治の危機と称せられるものがそれであります。多数政治の弱点とせられるものがそれであります。しかし、政治学のことは、ここではわたくしの領域外であります。純正に法律学の範囲において、とりわけ民法刑法に就いて考えますときは、民法新第一条第二項がそれを示すことになりました。『権利の行使及び義務の履行は信義に従ひ誠実に之を為すことを要す』るというのがそれであります。刑法は依然として旧のままということになりますが、少年法の最近の規定が、刑法の将来のために道を開いて居ります。『少年の健全な育成を期し、非行のある少年に対して性格の矯正及び環境の調整に関する保護処分を行う』というのがそれであります。少年法における少年年齢が、比較法上漸次高められつつあることは、さきに少年法を考えました際に申し上げておきました。民法第一条の信義則をいかに全法律に及ぼし、また、少年法第一条をしていかに全刑法に滲み込ましめるかというところに、民法と刑法との文化的な将来が成立しているわけであります。

考えて見ますと、この歳になりますまでに、すでに五十年を超えて、民法と刑法とのむしろわずらわしい解釈を仕事とし来ったのであります。その仕事を深めるにつれまして、わたくしは、法律の解釈は、その論理的な性格において、無限なものである、と考えることになりました。やや非常識的なものの言いようでありますが、法律の進化を考え、法律の比較を仕事とし、法律の理念としての自然法ということを天のあなたに見上げつつ、わたくしは、わたくしの法律学たる民法論刑法論を純正に理論的に考えまして、法律の解釈が、常に、歩一歩、前進してゆくものであるということを認め取り、かくして右の結論に到達したのであります。それは、やがて、法律学の課題として神を考えるということになるのであります。

『神』というような言葉を用いて法律学を論ずることは、不幸な誤解の避けがたいことにもなるでありましょう。しかし、法律学は、現に在る法律をただ現に在るものとしてだけでは、その仕事を完うすることができないのであります。悪法も亦法なりと言いのがれをする道もないとは申しませんが、それでは、あと味がまことにわるい。良心が許しません。法律の研究を仕事として国家の祿をいただくのに自信を有つわけにまいりません。

フランス民法刑法が成立しましてからすでに百五十年。フランス民法の百年は、五十年前に、フランスでも、わが国でも祝われました。しかし、その時の民法は一八〇四年の民法ではありませんでした。ドイツ民法は五十年になります。先年のドイツ民法五十年の式典におきましては、今日のドイツ民法は一九〇〇年のドイツ民法ではないとせられたのであります。わが民法もすでに六十年に垂んとして居りますし、刑法も漸くにして五十年になろうとして居ります。現実の法律は不完全なものでありますから常に動きます。しかし、動くものは平を得ようとするのでありますが如く、法律は常に理念を追うて進化するのであります。法律学というのは、まず法律の不完全性を知るということでありますし、そうして、法律は、自己の不完全性の故に、常に完全者にあこがれつつ、進化を重ねてゆくのである、ということを法律学は研究するのであります。

法律は、単に権力として示現するものでありません。そうして、法律は、或場合においては、実に、道徳よりも賢明であります。この意義において、法律の特色は技術であります。また、法律は、或場合においては、道徳よりもグッド・ウィルのものともいい得ます。法律は、その進化において、常に、弱い者のために、傍観してはいないものであるからであります。

法律における研究の課題としての神ということは、法律における権力と技術と好意との三位一体を理解することに外ならぬのであります。われわれは、そういう理解の上に法律を守り、また、法律を動かしてゆかねばなりません。——わたくしの学究生活五十年は、かようなものとして、常に希望と期待とを有っての五十年であり得ましたことを、国家に対し、諸先生に対し、先輩と学友とに対し、そうして、常に、蔭になり日向になって、わたくしを支持してくれられました世の人々に対し、切に感謝の念をつづけて居ります。では、永らくの御清聴ありがとうございました。皆さんの御機嫌を祈り上げます。

索　引

L

M

N

O

P

R

T

U

V

昭和三十年九月二十日　初版第一刷印刷
昭和三十年九月三十日　初版第一刷發行

法律との五十年

著作權所有

著作者　牧《まき》野《の》英《えい》一《いち》
東京都千代田區神田神保町二ノ十七

發行者　江草四郎
東京都青梅市根ケ布三八五

印刷者　山田一雄
東京都千代田區神田神保町二丁目十七番地

發行所　株式會社　有斐閣
電話　九段(33)〇三二三・〇三四四
本郷支店　文京區東京大學正門前
京都支店　左京區北白川追分町一

印刷　株式會社精興社
製本　稻村製本所

Printed in Japan

法律との五十年（オンデマンド版）

2014年12月15日　発行

著　者　　牧野　英一
発行者　　江草　貞治
発行所　　株式会社 有斐閣
〒101-0051　東京都千代田区神田神保町2-17
TEL　03(3264)1314(編集)　03(3265)6811(営業)
URL　http://www.yuhikaku.co.jp/

印刷・製本　　株式会社 デジタルパブリッシングサービス
URL　http://www.d-pub.co.jp/

AH220

ISBN4-641-91601-2　　Printed in Japan